afgeschreven

NERO 9

Marjon Hendriks

Copyright	© 2008 Easy Computing
	1ste druk 2008
Uitgever	Easy Computing Publishing N.V.
	Horzelstraat 100
	1180 Brussel
	Easy Computing B.V.
	Jansweg 40
	2011 KN Haarlem
Web	www.easycomputing.com
Auteur	Marjon Hendriks
Eindredactie	Gino Bombeke
Vormgeving	*Phaedra creative communications*, Westerlo
Cover	Sari Vandermeeren
ISBN	978-90-456-4661-9
NUR	991
Wettelijk Depot	D/2009/6786/10

Belangrijke opmerking

Wanneer in dit boek methodes en programma's vermeld worden, gebeurt dit zonder inachtneming van patente
aangezien ze voor amateur- en studiedoeleinden dienen. Alle informatie in dit boek werd door de auteurs met d
grootste zorgvuldigheid verzameld respectievelijk samengesteld. Toch zijn fouten niet helemaal uit te sluiten. Eas
Computing neemt daarom noch garantie, noch juridische verantwoordelijkheid of enige andere vorm van aan-
sprakelijkheid op zich voor gevolgen die op foutieve informatie berusten. Wanneer u eventuele fouten tegenkom
zijn de auteurs en de uitgever dankbaar wanneer u deze aan hen doorgeeft. Wij wijzen er verder op dat de in he
boek genoemde soft- en hardwarebenamingen en merknamen van de betreffende firma's over het algemeen dc
fabrieksmerken, handelsmerken, of patentrecht beschermd zijn.

Inhoud

Inleiding

Deze Snelgids is bedoeld voor iedereen die met Nero 9 wil leren werken. Op zich verschilt Nero 9 niet zo veel van de vorige versie. U zult merken dat het programma vooral wat gemakkelijker te bedienen is. Met deze Snelgids willen we u wegwijs maken in Nero 9. We wijzen u op de mogelijkheden van het programma en hopen dat u daarna het vertrouwen hebt om zelf aan de slag te gaan en verder te experimenteren.

Eerst maakt u kennis met enkele basisvaardigheden van het programma, zoals de installatie, een audio-cd opnemen of een video-cd branden. Daarna gaat u in op meer geavanceerde mogelijkheden. Zo maakt u zelf een dvd met startmenu. In het laatste hoofdstuk behandelen we een aantal kleine, nieuwe hulpprogramma's.

Voel u zeker niet verplicht om dit boek van kaft tot kaft te lezen. Blader door het geheel en focus op de hoofdstukken die u interesseren. Elk hoofdstuk heeft een eigen kleur, waardoor u gemakkelijk het onderwerp terugvindt waarmee u wilt verdergaan.

Veel succes met Nero 9 en deze Snelgids!

Easy Computing

Van start

1

Elk computerprogramma stelt bepaalde eisen aan uw pc, zoals de versie van het besturingssysteem of de hoeveelheid geheugen. Dit noemen we systeemvereisten. Als uw pc niet aan deze eisen voldoet, dan werkt het programma niet of traag.

Uw systeem checken

U controleert daarom eerst of uw pc voldoet aan de eisen die Nero 9 stelt. De informatie die u hiervoor nodig hebt, vindt u op verschillende plekken, bijvoorbeeld via het venster **Computer** of in de systeemdocumentatie. U krijgt hier een overzicht van de verschillende systeemeisen.

Algemene systeemeisen

- Een dvd-romstation voor de installatie.
- Windows XP met SP2 of SP3, Windows Vista met SP1.
- Microsoft Internet Explorer 6.0 of hoger.
- DirectX 9.0c of hoger.

Processor en geheugen

- Voor het schrijven van audioschijven en dataschijven: 1 GHz Intel Pentium III-processor of AMD. Voor Windows Vista een 2 GHz Intel Pentium IV en minimaal 512 MB RAM.
- Voor het bewerken van televisieopnames, dvd's en videomateriaal: 2 GHz Intel Pentium IV-processor met een geheugen van 512 MB RAM.
- Voor direct opnemen en branden: 2 GHz Intel Pentium IV-processor of AMD Sempron 2600+ met een geheugen van 512 MB RAM.

Ruimte op de harde schijf

- Minimaal 1,5 GB ruimte op de harde schijf om alle onderdelen van de suite te installeren.

- 9 GB voor het werken met dvd-afbeeldingen en het opslaan van tijdelijke dvd-bestanden.

Beeldscherminstellingen

- Een grafische kaart met minstens 32 MB videogeheugen, een resolutie van 800 x 600 pixels en een kleurkwaliteit van minimaal 16 bit. Een kwaliteit van 24 of 32 bit wordt echter aanbevolen.

- Uw beeldscherm heeft een resolutie van 1680 x 1050 pixels en een kleurkwaliteit van minimaal 16 bit. Ook hier wordt 32 bit aangeraden.

Om te branden

- Een cd-, dvd- of Blu-raybrander.

- Voor het branden van HD DVD's: een HD DVD-brander.

- Voor het branden van LightScribe of LabelFlash: een brander die met deze techniek overweg kan.

- Beschrijfbare cd's, dvd's, Blu-ray Discs of HD DVD's. Voor het gebruik van LightScribe en LabelFlash moeten de schijfjes het gebruik van deze techniek ondersteunen.

Optioneel

- Een geluidskaart van 16 bit (liefst 32 bit) die compatibel is met Windows.

- Het is aanbevolen de laatste stuurprogramma's van Microsoft Windows Hardware Quality Labs te installeren.

Specifieke eisen voor de verschillende programma's

Nero 9 bestaat uit een aantal onderdelen die elk aparte systeemeisen hebben. In dit deel wordt per onderdeel opgesomd aan welke eisen uw pc minimaal moet voldoen om vlot met het programma aan de slag te gaan.

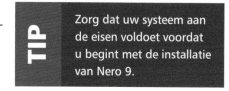

TIP Zorg dat uw systeem aan de eisen voldoet voordat u begint met de installatie van Nero 9.

Nero ShowTime

- Microsoft DirectX 9.0c.

- Een van de dvd-soorten.

- Een grafische kaart die in staat is videobeeld schermvullend weer te geven.

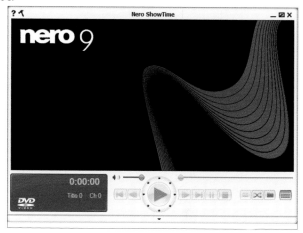

Nero Live

- Een televisie- of een videokaart voor het opnemen van analoge of digitale video.

- Een 2,4 GHz processor met een snelle harde schijf (7200 toeren per minuut) en 2GB RAM.

- Een geluidskaart van 16 bit die compatibel is met Windows.

NeroVision 5

- Microsoft DirectX 9.0c of hoger.

- Een Firewire-kaart (IEEE 1394) voor DV-opname.

- Een speciale kaart – bijvoorbeeld van Pinnacle – voor het opnemen van analoog of digitaal beeld.

- Een opnameapparaat dat overweg kan met USB, bijvoorbeeld een webcam.

- Een grafische kaart met 3D-versneller en een minimaal videogeheugen van 64 MB RAM voor het gebruik van 3D-sjablonen.

- De insteekmodule **Blu-ray/HD DVD-Video**. Deze module is nodig voor het bewerken, branden en afspelen van video's in het Blu-ray- of HD DVD-formaat. De keuze hiervoor hangt af van de brander. Voor beide types hebt u een specifieke brander nodig.

INFO Met Blu-ray en HD DVD beschikt u over beter beeld en geluid dan met gewone dvd's.

- Een kaart voor het opnemen van video die compatibel is met DirectShow (optioneel).

Nero Burning ROM, Nero Express, Nero BackItUp

- Een brander die overweg kan met LightScribe, plus de bijbehorende software.

LightScribe

- Een brander die overweg kan met LabelFlash en de bijbehorende schijfjes.

- Een brander die overweg kan met HD DVD en de bijbehorende schijfjes.

- Een station dat overweg kan met SecurDisc voor Nero Express.

Nero Recode

- De functionaliteit **DVD-9-to-5** voor het converteren van een DVD-9 met een dubbele laag op één kant naar een DVD-5 met een enkele laag op één kant.

- Een multicore processor, bijvoorbeeld van AMD.

Nero Cover Designer

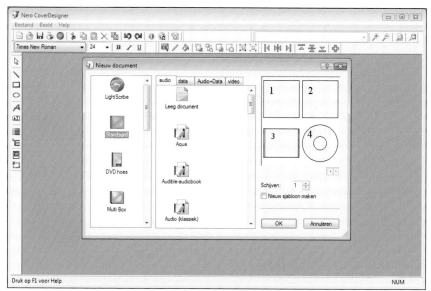

- Een printer voor het afdrukken van covers en labels.

- Covers en labels, bijvoorbeeld van Easy Computing.

- Een brander die LightScribe of LabelFlash ondersteunt. Ook de schijfjes moeten deze techniek ondersteunen.

- Als u ook wilt gebruikmaken van LightScribe, dan hebt u een opnameapparaat nodig dat daarmee compatibel is. Bovendien moet de juiste software geïnstalleerd zijn.

InCD, InCD Reader

- Als u wilt gebruikmaken van het zogeheten Package Writing, dan moet uw cd-brander of dvd-brander overweg kunnen met cd- of dvd-rw's. Dit zijn cd's en dvd's die meerdere keren beschreven kunnen worden.

- Een station dat overweg kan met SecurDisc om de beveiliging te doorbreken op schijfjes die gemaakt zijn met SecurDisc.

SecurDisc Viewer

- Een station dat overweg kan met SecurDisc en een schijf die beschermd is tegen SecurDisc.

Insteekmodule MCE
(Nero Burn en instellingen voor Nero Burn en Nero MediaStreaming)

- Windows Vista Home Premium of Windows Vista Ultimate met het Mediacentrum of Windows XP Mediacentrum Editie 2005, versie 2.

- Een processor van 1,6 GHz met 256 MB RAM-geheugen.

- Een grafische kaart die in staat is om afbeeldingen schermvullend weer te geven, met minimaal 8 MB aan videogeheugen, een resolutie van 800 x 600 pixels en 16-bits kleuren. 24- of 32-bit worden echter aanbevolen.

- Bij het gebruik van deze insteekmodule moet Nero MediaHome op de server aanwezig zijn.

Miniprogramma Nero DiscCopy

- Windows Vista.

Aanvullende eisen voor Blu-ray en HD DVD

- Een station dat overweg kan met het opnemen op Blu-ray Discs of HD DVD. Dit geldt voor zowel audio, video als data.

- Windows XP (SP2 of later), Windows Server 2003 (SP1 of later), Windows XP Mediacentrum-editie 2005 of later, of Windows Vista.
- Een Intel Pentium IV-processor met 2 GHz, of een AMD Sempron 3000+ of sneller.
- Een RAM-geheugen van minimaal 512 MB.
- Internet Explorer 6.0 of hoger.
- DirectX 9.0c of hoger.
- Een videokaart die overweg kan met HD (optioneel).
- Een televisietoestel of een televisiekaart voor analoog opnemen (optioneel).
- Een Firewire-kaart (IEEE 1394) voor HDV-opname (optioneel).

Aanvullende eisen voor het afspelen van inhoud op een hoge resolutie

- Een van de volgende processoren: AMD Athlon 64 FX met een kloksnelheid van 2,6 GHz; AMD Athlon 64 X2 2,2 GHz; AMD Turion 64 X2 2 GHz; Intel CoreDuo 2 GHz; Intel Core 2 Duo 1,8 GHz; Intel Pentium Extreme Edition 3,2 GHz of Intel Pentium D 3,4 GHz.
- Minimaal 1 GB RAM-geheugen
- 50 GB vrije ruimte op de harde schijf voor Blu-ray- en dvd-afbeeldingen met een dubbele laag. Voor HD DVD-afbeeldingen is minimaal 30 GB vrije ruimte nodig.
- Een versie van Windows Vista die overweg kan met een processor van 64 bit, bijvoorbeeld Windows Vista Ultimate. Dit is nodig om een dvd met Blu-ray- of HD DVD-inhoud te tonen in een resolutie van 1080 x 1920.
- Ondersteuning voor AAC-geluid via het Blu-ray- of het HD DVD-station.
- Grafische kaart met minimaal 256 MB RAM, zoals de nVidia GeForce 6600 GT.
- Minimaal 512 MB RAM-geheugen, ondersteuning van COPP (Certified Output Protection Protocol) wordt aangeraden.
- Internetverbinding voor het downloaden van nieuwe AAC-sleutels. Deze zijn nodig om videobestanden af te spelen van beschermde Blu-ray- en HD DVD-schijven.
- Als u gebruikmaakt van interactieve HD-schijfjes (HDi), dan moet u vooraf eerst Microsoft .Net Framework 2.0 installeren.

Als uw systeem niet aan de voorgeschreven eisen voldoet, dan kunt u dit in sommige gevallen oplossen. Zo is geheugen goedkoop en gemakkelijk te installeren en misschien kunt u meer ruimte op de harde schijf vrijmaken. Ook het inbouwen van een cd-brander, dvd-brander of Blu-raybrander is niet ingewikkeld. Bovendien bestaan er voldoende goede handleidingen.

Nero 9 installeren

Nero kunt u op verschillende manieren aanschaffen en installeren:

- **Als nieuw programma**: U koopt Nero 9 in een doos en ontvangt hierbij een uitgebreide handleiding. Gaat u voor het eerst aan de slag met Nero, dan is dit de beste en de meest complete oplossing.

- **Als upgrade**: Als u over een oude versie van Nero – zoals Nero 8 – beschikt, dan kunt u een upgrade aanschaffen en installeren. Hierbij installeert u een hogere versie van het programma dat u al hebt en betaalt u enkel het bedrag voor de upgrade. De upgrade kunt u downloaden op de beveiligde website http://www.nero.com/eng/store-upgrade-center.html. Een upgrade is uiteraard goedkoper dan een nieuwe versie.

- **Als geactiveerde demoversie**: Deze optie is het meest geschikt als u eerst wilt kijken of Nero het juiste programma voor u is. U installeert dan een demoversie die u voor een beperkte periode kunt gebruiken. Na de proefperiode kunt u het serienummer aanvragen of alsnog het programma kopen. Houd er rekening mee dat de proefversie iets kan afwijken van de handelsversie die wordt geleverd in de doos.

De installatie verloopt altijd op dezelfde manier. Als u een upgrade installeert, dan zal Nero enkel de nieuwe onderdelen meenemen. Als de versie die op het systeem wordt aangetroffen te oud is, dan zal Nero deze eerst verwijderen.

INFO

Let op dat er geen andere brandsoftware op de pc aanwezig is, want cd/dvd-branders raken hierdoor in de war! Verwijder dus eerst alle brandsoftware – met uitzondering van die van Windows Vista natuurlijk – voor u de installatie start.

In dit geval installeren we Nero 9. Sluit alle Windows-programma's en volg de instructies via de verschillende vensters:

TIP

Installeer ook SecurDisc™ Viewer.

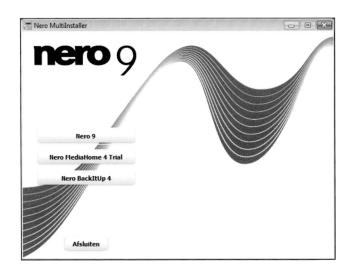

1. Kies voor de installatie van Nero 9 en selecteer in het volgende venster de juiste taal. Standaard is Nederlands geselecteerd. Klik op de knop **Volgende** om de installatie te starten.

2. Vul het serienummer in en klik op de knop **Volgende**.

3 Nadat u de eind-rechtgebruiksover-eenkomst hebt geaccepteerd, wordt de installatie gestart. Kies **Standaard** als installatietype.

4 De installatie wordt gestart. Dit kan enige tijd duren.

5 Klik op de knop **Afsluiten** als Nero meldt dat de installatie is voltooid.

6 Klik nogmaals op **Afsluiten** in het venster **Nero Multilnstaller**.

Nero is nu geïnstalleerd. Om te controleren of de installatie is gelukt, gaat u naar het startmenu van Windows Vista en controleert u via **Programma's** / **Nero** of er koppelingen naar Nero StartSmart en naar andere onderdelen van de Nero-suite aanwezig zijn.

Dubbelklik op de koppeling van StartSmart om deze te openen en sluit deze toepassing weer met de knop **Sluiten** rechtsboven. Als dit lukt, dan is de installatie geslaagd!

Nero StartSmart

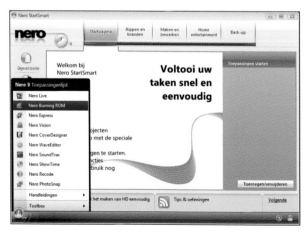

Nero StartSmart is vooral ontwikkeld voor de beginnende gebruiker. De beslissingen die een gebruiker in Nero Burning ROM zelf neemt, worden hier door StartSmart aangegeven. U opent het programma door op uw Bureaublad op het pictogram **Nero StartSmart** te dubbelklikken. Vervolgens klikt u op de knop **Nero toepassingen en -hulpprogramma's starten** links onderin en selecteert u **Nero Burning ROM**.

U start Nero Burning
ROM met het venster
Nieuwe compilatie.

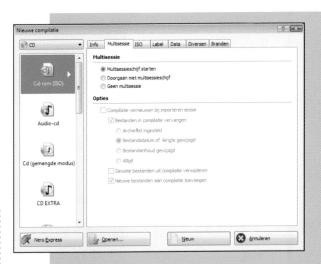

1 Selecteer in het venster **Nieuwe compilatie** het soort cd of dvd dat u wilt maken, bijvoorbeeld **Cd-rom (ISO)**.

2 Klik op de knop **Nieuw**.

3 Selecteer de bestanden die u wilt branden.

4 Sluit Nero Burning ROM.

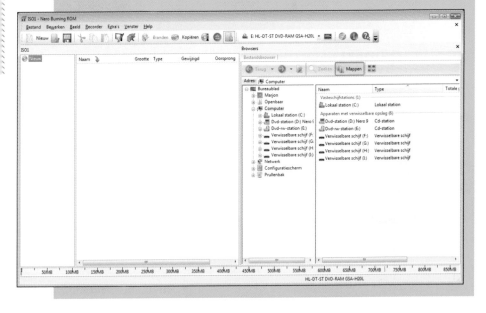

Zoals eerder al gezegd werd, is StartSmart slechts een hulpprogramma voor beginners. Echte cd's maakt u beter in Nero en Nero Express. U kunt in het volgende deel terecht voor alle stappen om een cd of dvd aan te maken.

Nero Express

Nero Express is net als StartSmart een hulpprogramma van Nero. Het werkt via een aantal wizards die instellingen maken, zodat u zich volledig op het branden kunt richten. In dit voorbeeld kopieert u met Nero Express een bestand naar een cd. U gebruikt het helpbestand van Nero. Volg hierbij dit stappenplan:

1 Open Nero Express in het startmenu via **Alle programma's** / **Nero** / **Nero 9** / **Nero Express**.

2 Selecteer in het eerste venster van Nero Express het onderdeel **Data** in het linkerdeelvenster. Klik dan in het rechterdeelvenster op **Data-cd**.

3 Klik op **Toevoegen** in het venster **Schijfinhoud**.

4 Selecteer in de keuzelijst bovenin het venster **Bestanden en mappen toevoegen** eerst de locatie van het bestand dat u wilt branden.

5 Kies nu de map waarin het bestand zich bevindt en selecteer vervolgens het bestand. In dit voorbeeld gaat het om de map **Nero StartSmart** en het bestand **NeroStartSmart_nld.**

6 Klik op **Toevoegen** onderin het venster om het bestand toe te voegen aan de inhoud van de cd die u maakt.

7 U keert terug naar het venster **Schijfinhoud van Nero Express**. Daar ziet u dat het bestand is toegevoegd.

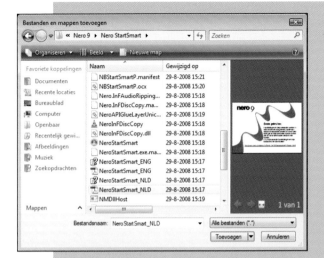

8 Als u dat wilt, dan kunt u nu een schijflabel maken. In dit voorbeeld komt dit echter niet aan bod. Klik op **Volgende** en bekijk de definitieve brandinstellingen. Let bijvoorbeeld op de naam die u aan de cd wilt geven.

9 Om de cd te branden, klikt u op **Branden**. Plaats vervolgens de cd in de brander, zodat Nero deze kan aanmaken. Nu doet u dat echter niet en sluit u Nero Express.

Het bijzondere aan Nero Express is dat u er ook muziek in kunt coderen. U kunt bestanden bijvoorbeeld naar mp3's omzetten. Van Nero Express is het maar een kleine stap naar Nero Burning ROM, het echte brandprogramma van Nero.

TIP

U kunt op dezelfde manier een audio-cd maken. Telkens start Nero Express een wizard die alle instellingen voor u maakt.

De gebruiksomgeving van Nero Burning ROM

Tot nu toe maakte u gebruik van wizards. Het grote nadeel hiervan is dat u volledig bent overgeleverd aan hun instellingen, waardoor een brandproces onnodig lang kan duren. Als u zelf de controle over alle instellingen wilt hebben, dan gebruikt u Nero Burning ROM.

In dit deel maakt u nader kennis met de gebruiksomgeving van Nero Burning ROM. U opent het programma via het startmenu. Daarna bekijkt u de belangrijkste vensters. Om u vertrouwd te maken met de gebruiksomgeving van Nero, start u een nieuw project in het venster **Nieuwe compilatie**. Net zoals in het vorige deel kopieert u de helpbestanden naar een cd zonder de cd te branden. Zo worden de verschillen tussen Nero en Nero Express u goed duidelijk.

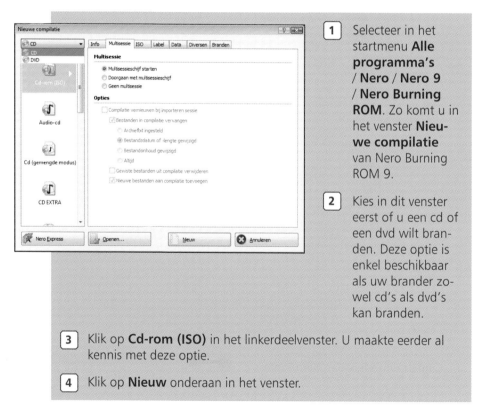

1 Selecteer in het startmenu **Alle programma's / Nero / Nero 9 / Nero Burning ROM**. Zo komt u in het venster **Nieuwe compilatie** van Nero Burning ROM 9.

2 Kies in dit venster eerst of u een cd of een dvd wilt branden. Deze optie is enkel beschikbaar als uw brander zowel cd's als dvd's kan branden.

3 Klik op **Cd-rom (ISO)** in het linkerdeelvenster. U maakte eerder al kennis met deze optie.

4 Klik op **Nieuw** onderaan in het venster.

Het venster **Nieuwe compilatie** verdwijnt nu en u komt in het hoofdvenster van Nero. Dit bestaat uit twee deelvensters:

- **Het compilatievenster**: Hierheen kopieert u alle informatie die u op de cd of dvd wilt branden. Het venster bestaat uit twee onderdelen: in het linkerdeelvenster ziet u mappen met programma's en bestanden. In het rechterdeelvenster ziet u de inhoud van de map, zoals de grootte van een bestand. U kunt de mappen uitvouwen en zo meer informatie zichtbaar maken.

- **De Bestandsbrowser**: Deze werkt net zoals Windows Verkenner. Hier ziet u de inhoud van de harde schijf en selecteert u de programma's of bestanden die u op de cd of dvd wilt branden.

Het compilatievenster en de Bestandsbrowser kunt u breder of smaller maken door deze aan de randen te slepen. Als u bijvoorbeeld meer informatie wilt zien in het rechterdeelvenster, dan sleept u de rand van de Bestandsbrowser naar links. U kunt de browser ook helemaal uitzetten door te klikken op het kruisje rechts boven de browsers. Kies **Beeld / Browsers** om de browser weer zichtbaar te maken. Als u per kolom meer informatie wilt zien – zoals de volledige bestandsnaam, dan sleept u aan de kolomscheidingen.

Boven beide vensters vindt u de werkbalk en de menubalk. Evenals bij alle Windows-programma's vindt u hier belangrijke handelingen terug in de vorm van menu's en pictogrammen. Verder ziet u hier het pad naar uw cd- of dvd-brander.

U kopieert nu het bestand **NeroStartSmart_nld** uit de map van Nero 9 naar de nieuwe compilatie. Dat doet u door het programma uit de Bestandsbrowser naar het compilatievenster te slepen. U geeft de cd ook eerst een naam.

1 Druk op [F2]. Aan de linkerkant van het venster ziet u een pictogram van een cd met daarachter een tekstvak.

INFO Houd wel rekening met het maximale aantal karakters. U kunt niet meer dan 16 tekens ingeven.

2 Typ een naam in het tekstvak, zoals **StartSmart_nld**.

3 Ga naar de Bestandsbrowser aan de rechterkant en open de map **Program Files**. Klik dan op de map **Nero** en vervolgens op de map **Nero 9**.

TIP Zet de browser eventueel breder door te slepen aan de randen.

4 Klik op de map **Nero StartSmart** en vervolgens op het bestand **NeroStartSmart_nld**.

5 Sleep dit bestand naar het compilatievenster aan de linkerkant. Als u het bestand kunt toevoegen aan een venster, dan ziet u een plusje boven de muiswijzer. Is het bestand op de juiste wijze toegevoegd, dan kunt u dit controleren in het rechterdeelvenster.

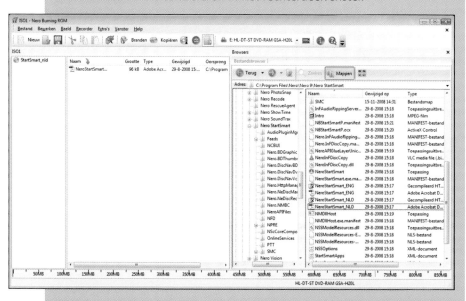

6 Ga naar het linkerdeelvenster en maak de kolommen zo breed dat de belangrijke informatie zichtbaar is.

Bekijk nu het venster. Alles wat u in het linkerdeelvenster aantreft wordt gebrand op uw cd of dvd. Helemaal onderaan in het venster vindt u gegevens over de capaciteit van de cd. Het groene balkje geeft aan hoeveel ruimte er nog beschikbaar is. Omdat het bestand **NeroStartSmart_nld** maar 96

KB bedraagt en een gewone cd tot 650 MB aan informatie kan bevatten, is het balkje zeer kort.

U kunt op dezelfde manier informatie toevoegen tot de maximumcapaciteit van de cd bereikt is. Omdat dit een oefensituatie is, doet u dit niet. U gaat direct door met het bespreken van de instellingen voor het branden van een cd. De instellingen maakt u in het venster **Compilatie branden**. Dit opent u met het pictogram **Branden** op de werkbalk. Alle instellingen die u hebt gemaakt in het venster **Nieuwe compilatie** zijn hier ook aanwezig. U kunt ze bekijken door op het tabblad **Info** te klikken. Hier vindt u standaardinformatie over de compilatie die u wilt branden. Ook op het tabblad **Label** kunt u nuttige gegevens terugvinden.

Het tabblad Branden

Op dit tabblad maakt u de uiteindelijke instellingen voor het branden, zoals met welke snelheid wordt gebrand en hoeveel kopieën worden gemaakt. U kunt hier ook kijken wat de maximale snelheid is voor uw cd of dvd en voor uw cd- of dvd-brander. Dat doet u in de volgende opdracht. U simuleert het brandproces zonder dat de cd wordt beschreven:

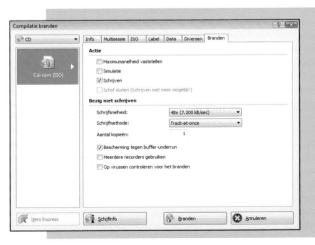

1 Klik op het tabblad **Branden** en bekijk het venster.

2 Vink het selectievakje **Schrijven** uit en vink de vakjes **Maximum snelheid vaststellen** en **Simulatie** aan.

3 Plaats een lege cd in de brander en wacht tot het station gereed is.

4 Klik op de knop **Simuleren**, onderaan in het venster.

5 Klik op **OK** bij de melding dat de snelheidsmeting voltooid is.

6 Sluit het venster **Compilatie branden**.

INFO

Als u meer informatie over het proces wilt zien, dan klikt u op **Details** en bekijkt u het venster met de gegevens. Klik weer op **Details** om terug te keren in het venster met de snelheidsmeting.

De cd wordt uitgeworpen en u keert terug in het hoofdvenster van Nero. Natuurlijk was dit een kennismaking in sneltreinvaart, maar u krijgt in de rest van deze Snelgids nog voldoende gelegenheid om te oefenen. U hebt na deze oefening wel een goed beeld van de gebruiksomgeving van Nero. In het volgende onderdeel leert u deze omgeving naar uw eigen wensen aanpassen.

Opties instellen

Nero wordt geleverd in een standaardconfiguratie, die ruimschoots voldoet. Als u langer met Nero werkt, dan zult u sommige instellingen willen wijzigen. Zo kunt u instellen waar Nero zijn tijdelijke bestanden neerzet, aangeven dat u niet automatisch met een compilatie wilt beginnen of ervoor zorgen dat Nero de pc uitzet na het branden. Welke keuzes u maakt, hangt natuurlijk volledig af van uw eigen voorkeuren. Als u genoeg ruimte op uw harde schijf hebt, dan hoeft u het cache-bestand niet op een andere plek te installeren. Als u na het branden wilt verderwerken op uw pc, dan is het onzin om deze af te sluiten.

Alle instellingen maakt u in het venster **Opties**. U opent dit via het menu **Bestand**. Enkel om u vertrouwd te maken met het instellen van voorkeuren, stelt u in de volgende opdracht in dat Nero een geluid geeft als het programma u vraagt een volgende schijf in de brander te plaatsen. U kunt hiervoor het standaardgeluid van Nero kiezen, maar u kunt ook een eigen geluid selecteren. Volg hiervoor deze stappen:

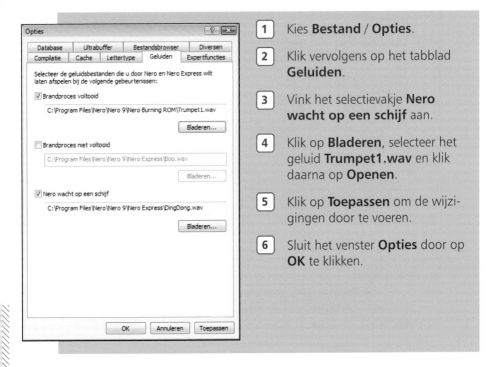

1. Kies **Bestand / Opties**.

2. Klik vervolgens op het tabblad **Geluiden**.

3. Vink het selectievakje **Nero wacht op een schijf** aan.

4. Klik op **Bladeren**, selecteer het geluid **Trumpet1.wav** en klik daarna op **Openen**.

5. Klik op **Toepassen** om de wijzigingen door te voeren.

6. Sluit het venster **Opties** door op **OK** te klikken.

Als u over meerdere cd's brandt, dan zal Nero het geluid afspelen als u een tweede cd in de brander moet plaatsen.

Werken met de cache

Tijdens het kopiëren van gegevens naar een cd maakt Nero reservebestanden en andere tijdelijke bestanden aan op de harde schijf. Dat gebeurt in de cache. Na het branden maakt Nero deze cache weer leeg. De meeste moderne pc's beschikken over een grote harde schijf waarbij de cache automatisch op de C-schijf wordt geplaatst. Beschikt u over meer dan één harde schijf, dan is het verstandig om de cache op de snelste schijf te plaatsen. Het is immers erg belangrijk voor het brandproces dat er geen onderbreking komt in de overdracht van gegevens tussen de cd-brander en de harde schijf. Gebeurt dit wel, dan spreken we van een 'buffer underrun'. Ook deze instellingen doet u in het venster **Opties**:

1	Open het venster **Opties** en klik op het tabblad **Cache**.
2	Klik op **Bladeren** en selecteer een nieuwe locatie voor de cache. Kies in het venster **Map selecteren** de map waarin u de cache wilt opslaan.
3	Klik op **OK** om het venster te sluiten en terug te keren in het venster **Opties**.

Nero gebruikt in principe alle ruimte die op de harde schijf aanwezig is voor het opslaan van cachegegevens. Als u ook vrije ruimte wilt reserveren voor processen op de achtergrond (zoals een virusscanner), dan beperkt u het aantal MB's dat Nero gebruikt. Dat doet u door op het tabblad **Cache** een ander aantal MB's op te geven in het invulvakje **Minimale vrije ruimte op schijf. Deze mag niet worden gebruikt in Nero**.

Als laatste kunt u gebruikmaken van het selectievakje **Slepen en neerzetten vanaf cd-romstation**. Als dit vakje is aangevinkt, dan worden ook bestanden die u sleept vanaf een cd eerst in de cache op de harde schijf gezet. Zo voorkomt u dat het brandproces mislukt omdat de cd-brander niet direct van de cd kan lezen. Als u alle instellingen hebt gemaakt, dan sluit u het venster **Opties**.

Besluit

Hiermee bent u aan het einde gekomen van dit eerste hoofdstuk. U installeerde Nero en u maakte kennis met de gebruiksomgeving van Nero StartSmart, Nero Express en Nero Burning ROM. Verder stelde u voorkeuren in voor Nero en kreeg u informatie over de cache. Maakt u zich vooral geen zorgen als u niet direct alles begrijpt. Cd's of dvd's branden is een ingewikkeld proces, maar in de loop van deze Snelgids wordt alles duidelijk.

In het volgende hoofdstuk gaat u cd's kopiëren met Nero Burning ROM. Daarbij maakt u onder meer kennis met ISO-standaarden en multisessies. Veel van wat in dit hoofdstuk is behandeld, komt daarbij uitgebreider terug.

Kopiëren

2

Bij het kopiëren wordt de informatie van een bron-cd bit voor bit overgezet naar een doel-cd of naar de harde schijf van een pc. U kunt op verschillende manieren kopiëren, bijvoorbeeld met of zonder een tijdelijk bestand. Kopiëren leent zich bijzonder goed voor het back-uppen van beveiligde programma's; de beveiliging wordt immers meegekopieerd. Omdat bij het kopiëren de informatie onveranderd wordt overgezet, leent dit proces zich ook tot het overnemen van cd's waaraan u niets wilt wijzigen, zoals een audio-cd.

Bij kopiëren bestaan verschillende strategieën, zoals werken met referenties of verwijzingen. Verderop in dit hoofdstuk gaan we hier uitgebreid op in. Welke strategie u kiest, hangt af van de mogelijkheden van uw pc of van de hoeveelheid tijd die u beschikbaar hebt.

In Nero kunt u ook kopiebestanden maken. Dit zijn complete cd-bestanden die niet op een andere cd, maar op de harde schijf worden geplaatst. De bestanden kunt u vervolgens openen en branden. Door gebruik te maken van de virtuele brander kunt u kopiebestanden maken van een eigen compilatie. Kopiebestanden kunt u normaal gesproken alleen bekijken in Nero. Als u dit te omslachtig vindt, dan gebruikt u Nero ImageDrive.

Tracks kopiëren via slepen en neerzetten

Audio-cd's zijn muziekcd's die u normaal gezien afspeelt in een cd-speler. De muziek is opgeslagen in het cd-audioformaat. Zelf kunt u geen CDA-bestanden aanmaken of bestanden naar CDA converteren; het formaat wordt door fabrikanten gebruikt om geluid op een cd te zetten. Nero herkent dit formaat en speelt het af, maar kan het niet bewerken. Hierdoor wordt het geluid tijdens het kopiëren geconverteerd naar het WAV-formaat. Wave-geluiden kunt u immers wel bewerken en converteren.

Het kopiëren van audio-cd's is heel eenvoudig. U sleept de bestanden die u wilt kopiëren naar het compilatievenster van Nero Burning ROM. Daarna kiest u op het tabblad **CDA-opties** een strategie voor het kopiëren. Dit tabblad is een onderdeel van het venster **Nieuwe compilatie** en opent wanneer u gekozen hebt voor het maken van een audio-cd. Er zijn twee mogelijkheden:

- **Nero maakt gebruik van een tussentijds bestand**: Dit bestand wordt opgeslagen op de harde schijf in de cache van Nero. Daarna wordt het naar de doel-cd gekopieerd.

- **Nero gebruikt een verwijzing naar de track op de audio-cd**: De track wordt gelezen vanaf de bron-cd en direct gebrand op de doel-cd. Daarbij worden geen bestanden op de harde schijf opgeslagen.

Dit leidt tot vier verschillende strategieën:

- **Schijfruimte-strategie**: Bij deze strategie worden de CDA-bestanden opgeslagen in de cache van Nero als hier voldoende ruimte beschikbaar is. Is dat niet het geval, dan wordt een verwijzing gemaakt naar de audiotrack.

- **Tijdelijk bestand-strategie**: Bij deze strategie worden de CDA-bestanden in de cache van Nero opgeslagen als hier voldoende ruimte beschikbaar is. Is dat niet het geval, dan wordt er een foutmelding gegeven.

- **Referentie-strategie**: Bij deze strategie worden de CDA-bestanden niet gebufferd, maar enkel behandeld als verwijzing naar een track. Het bronmedium moet dan een cd- of dvd-station zijn.

- **Apparaat-afhankelijke strategie**: Bij deze strategie wordt waar mogelijk gewerkt met verwijzingen naar de track. Is dit niet mogelijk, dan wordt de tijdelijk bestand-strategie gebruikt.

> **TIP**
>
> De strategieën **Schijfruimte** en **Tijdelijk bestand** gebruikt u om een cd ineens te kopiëren. De strategieën **Referentie** en **Apparaat-afhankelijk** zijn vooral geschikt als u met tracks werkt.

Kopiëren met behulp van een tijdelijk bestand

In dit deel kopieert u een audio-cd met behulp van een tijdelijk bestand. Plaats een audio-cd in het cd-romstation of dvd-romstation en plaats een lege cd in de brander. Als u een laptop gebruikt met een gecombineerd dvd-romschrijfstation, dan plaatst u eerst enkel de audio-cd.

> **INFO**
>
> Het kopiëren van audio-cd's is illegaal, maar u mag een back-up maken voor eigen gebruik.

Open Nero Burning ROM en kies **Bestand** / **Nieuw**. U vult nu het tabblad **Audio-cd** in.

Het tabblad Audio-cd

De gegevens die u hier invult – zoals de titel van de cd en de artiest – worden zichtbaar bij het afspelen van de cd. Later kunt u ze ook gebruiken in de cd-database van Nero. Als u het heel netjes wilt doen, dan kunt u ook de extra gegevens – zoals het copyright – invullen. Controleer ook of het selectievakje **Op cd schrijven** is aangevinkt.

> **TIP**
>
> In dit venster kunt u ook de UPC/EAN-code opgeven. UPC staat voor Universal Product Code en bestaat uit twaalf cijfers. EAN is de European Article Numbering en bestaat uit 13 cijfers. Door de code op te geven, hebt u een unieke identificatie voor uw product.

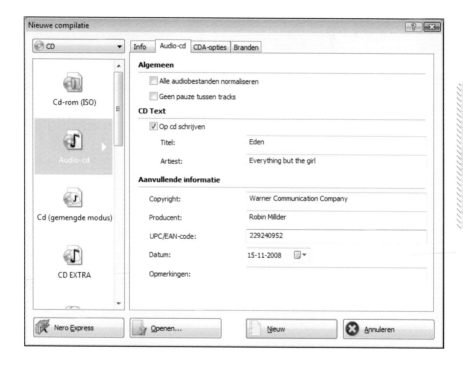

Onder **Algemeen** kunt u de optie **Alle audiobestanden normaliseren** aanvinken. Hierbij zorgt een filter ervoor dat de geluidssterkte van alle bestanden op de cd op elkaar wordt afgestemd. Dit is vooral prettig bij het samenstellen van verzamel-cd's, waar de geluidssterkte van de nummers kan verschillen. Een nadeel van deze methode is natuurlijk wel dat u de oorspronkelijke kwaliteit van de nummers aantast.

Het tabblad CDA-opties

Op dit tabblad kiest u de strategie. In dit voorbeeld wilt u de cd ineens gebruiken en werkt u met de cache. Daarom kiest u voor de tijdelijk bestand-strategie. Als er te weinig ruimte in de cache is, dan zal Nero u hiervoor waarschuwen.

Het tweede deel van dit tabblad bestaat uit het onderdeel **Station**. Hier vindt u informatie over uw cd- of dvd-romstation en uw brander. Per geselecteerd apparaat kunt u de leessnelheid van het apparaat zien en de snelheid waarmee audio kan worden gelezen. Deze gegevens gebruikt u om de snelheid van de brander te bepalen. Als u gebruikmaakt van een pc met een aparte brander en een apart dvd-romstation, dan gaat u uit van het traagste apparaat. Bij ons is dat het cd-romstation. Dat kan audio maximaal met een snelheid van 16 speed en 2400 kilobytes per seconde lezen. Daarom stelt u ook de brander hierop in, want uw brander kan niet sneller branden dan uw cd-romstation kan lezen. Concreet zet u deze stappen:

INFO
Als u met een laptop werkt, dan kunt u waarschijnlijk niets kiezen en kunt u de onderstaande stappen overslaan.

1 Selecteer in de keuzelijst **Station** uw cd- of dvd-romstation en bekijk de gegevens over leessnelheid.

2 Selecteer de cd-brander in de keuzelijst.

3 Stel nu de brandsnelheid in op **Maximum**.

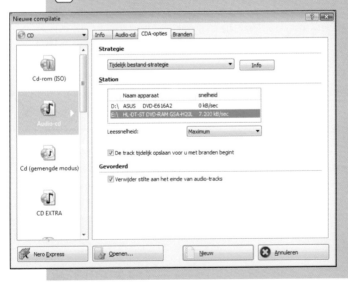

4 Laat de andere instellingen op dit tabblad ongewijzigd en klik op de knop **Nieuw** aan de onderkant van het venster.

Bestanden overzetten

U komt nu in het lege compilatievenster dat u al kent uit het vorige hoofdstuk. Het ziet er iets anders uit dan u gewend bent. Zo ziet u onderaan in het venster geen MB's, maar minuten. De kolommen hebben andere namen en in het rechterdeelvenster van de Bestandsbrowser ziet u informatie over de tracks.

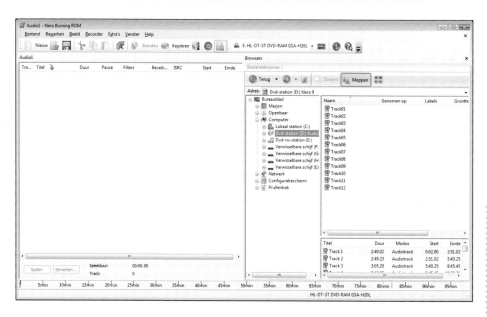

U sleept nu de tracks naar het compilatievenster. Daarbij gebeuren enkele dingen tegelijk. Zo wordt er een venster geopend met informatie over de database van Nero en wordt het bestand door Nero geanalyseerd. Als u voor de eerste keer informatie van deze cd haalt, dan wordt u gevraagd om de naam van de bron-cd op te geven. Nero gebruikt deze naam als referentie wanneer u de strategie **Referentie** kiest en de juiste bron-cd niet aanwezig is. Daarna wordt het bestand toegevoegd aan het compilatievenster.

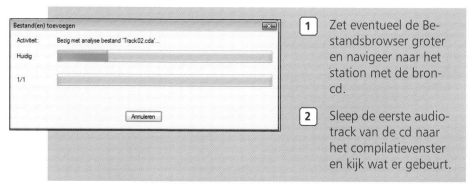

1 Zet eventueel de Bestandsbrowser groter en navigeer naar het station met de bron-cd.

2 Sleep de eerste audiotrack van de cd naar het compilatievenster en kijk wat er gebeurt.

Nu u twee bestanden naar het compilatievenster hebt gekopieerd, kunt u het venster opnieuw bekijken. Eerst maakt u alle kolommen in het rechterdeelvenster van het compilatievenster zichtbaar en kijkt u welke informatie beschikbaar is. Daarna speelt u een deel van de track af om te horen of u de juiste onderdelen hebt geïnstalleerd. Ten slotte bekijkt u welke mogelijkheden u hebt met de audiotracks.

1 Maak de Bestandsbrowser eventueel kleiner, zodat de volledige kolomnamen zichtbaar zijn. De meeste kolommen spreken voor zich. Er zijn een paar belangrijke:

- In de kolom **Titel** ziet u nu enkel de titel van de cd.

- In de kolom **Pauze** ziet u dat er een pauze van twee seconden tussen alle tracks staat. Deze pauze kunt u wijzigen.

- In de kolom **Beveiliging** ziet u dat er copyright op de nummers zit.

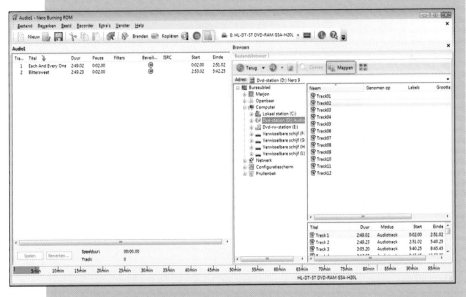

2 Selecteer de eerste track en klik op de knop **Spelen**, onderaan links in het venster.

3 Luister enkele minuten of u de juiste track hebt geselecteerd en klik op **Stop** om het afspelen te beëindigen.

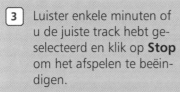

TIP Als u de [Shift]-toets ingedrukt houdt, dan kunt u meerdere tracks tegelijk selecteren.

4 Sleep nu alle tracks van de audio-cd naar het compilatievenster.

Trackinformatie wijzigen

Nadat u de tracks hebt gekopieerd, kunt u de gegevens van de tracks bekijken en eventueel wijzigingen aanbrengen. U kunt dit op twee manieren doen: door in het snelmenu te kiezen voor **Eigenschappen**, of door te dubbelklikken op een track. Volg deze stappen om de eigenschappen van een track te bekijken:

1 Dubbelklik op een track om deze te openen en bekijk het eerste tabblad.

Zoals u ziet zijn de CDA-gegevens geconverteerd naar een Nero-bestand en voorzien van een nummer. Verder ziet u dat u ook op dit moment nog gegevens over de cd-titel en de artiest kunt opnemen.

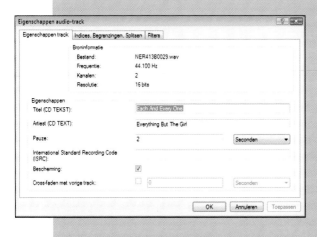

2 Zet de pauze tussen de tracks op drie seconden.

3 Klik op het tabblad **Filters** en vink het selectievakje **Fade in** aan. Hiermee zorgt u ervoor dat een geluidstrack van stilte tot volle geluidssterkte gaat. Dit duurt drie seconden, de tijd die u hebt gereserveerd voor de pauze tussen de tracks.

4 Als u de wijzigingen wilt doorvoeren, dan klikt u op **Toepassen** en daarna op **OK**. Als u voor **Annuleren** kiest, dan keert u terug naar het compilatievenster.

> **INFO**
>
> Er is ook een hele snelle en nieuwe manier om audiotracks te converteren en in het compilatievenster te plaatsen. Kies na het plaatsen van de cd voor de mogelijkheid **Audio-cd's omzetten naar Nero Digital Audio met Nero Burning ROM** in het venster **Audio CD**. Sleep de tracks vervolgens naar het compilatievenster en brand de cd. Het venster opent direct nadat u de cd hebt geplaatst. Dit is een van de voorbeelden van de grotere integratie tussen Nero en Windows Vista.

Een cd kopiëren

U gaat nu verder met het kopiëren van een cd. Dit werkt net zoals het maken van een data-cd. Eerst kiest u voor het branden van de compilatie, daarna kiest u voor **Disc-At-Once**.

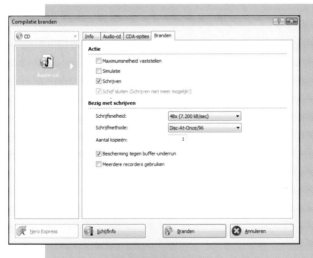

1 Klik op het pictogram **Branden**.

2 Kies als schrijfmethode **Disc-At-Once/96**.

3 Laat het selectievakje **Bescherming tegen buffer-underrun** ingeschakeld.

4 Laat het selectievakje **Schrijven** ingeschakeld en klik op **Branden**.

De cd wordt beschreven, waarbij de buffer doorlopend tussen 90% en 97% aan informatie bevat.

Rond het brandproces af en noteer met een zachte stift de gegevens op de buitenkant van de cd. Het kopiëren met een referentie werkt op dezelfde manier. U kiest in dat geval de referentie-strategie op het tabblad **CDA-opties** en plaatst een nieuwe cd.

Kopiëren met de kopieeropdracht

In het vorige deel gebruikte u slepen en neerzetten om CDA-bestanden te kopiëren en te converteren. Daarbij kon u kiezen of u een tussentijds bestand maakte of niet. Bovendien stelde u zelf vast wat u wel en niet kopieerde. In dit deel maakt u een exacte kopie van een cd met de opdracht **Kopiëren**. Daarbij hebt u twee mogelijkheden:

- **Een kopie maken met behulp van een kopiebestand**: Hierbij maakt Nero eerst een kopie op de harde schijf en daarna wordt de kopie op een cd gebrand. Het grote voordeel van deze werkwijze is dat u tijdens het proces nog zaken kunt herstellen. Een kapotte sector van de cd kan bijvoorbeeld nogmaals worden gelezen. Een nadeel is dat de werkwijze traag is.

- **Een kopie maken zonder kopiebestand (on the fly)**: Het voordeel van deze methode is dat het kopiëren snel gaat, waardoor er minder kans is op fouten. Bovendien is er geen extra opslag nodig op de harde schijf. Nadelen zijn dat er geen tussentijdse controle is op het proces en dat de cd- of dvd-brander, en dat het cd- of dvd-romstation en de harde schijf volledig compatibel met elkaar moeten zijn, zodat de databuffer niet te vol of te leeg raakt. Zeker bij moderne branders en moderne brandprogramma's die gebruikmaken van beveiligingen tegen underrun kunt u deze mogelijkheid goed gebruiken. Dat geldt vooral als u dit enkele malen hebt uitgetest en u dus zeker bent van de compatibiliteit van de verschillende apparaten.

In de volgende delen wordt ingegaan op beide opties. Eerst komt snelkopiëren aan bod en daarna krijgt u meer informatie over het kopiëren van een cd met behulp van een kopiebestand.

Snelkopiëren

De eerste audio-cd kopieert u met snelkopiëren. U kunt dit enkel doen als u beschikt over een cd- of dvd-brander die gescheiden is van het cd- of dvd-romstation. Kies een nieuwe audio-cd die u wilt back-uppen en zorg voor een lege cd.

1 Plaats de bron-cd in het cd- of dvd-romstation en een lege cd in de brander.

2 Klik in de werkbalk op het pictogram **Kopiëren**.

3 Klik links bovenaan op **CD** in de keuzelijst.

INFO Als u enkel een cd-romstation hebt, dan is deze keuze niet beschikbaar.

4 Klik op het tabblad **Kopieeropties** en controleer of het selectievakje **Snelkopiëren** is aangevinkt.

5 Klik vervolgens op **Kopiëren** onderaan in het venster en bekijk de voortgang.

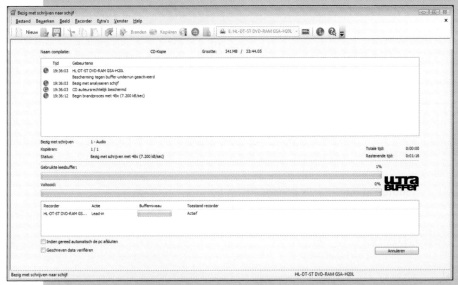

Omdat u gekozen hebt voor snelkopiëren, blijft de buffer leeg tijdens het lezen. Verder ziet u dat de cd auteursrechtelijk is

beschermd. Tijdens het schrijven wordt de buffer wel gebruikt, want Nero beschikt over te weinig geheugencapaciteit om het helemaal zonder buffer te stellen.

Klik ten slotte op **OK** om de melding dat het brandproces voltooid is te sluiten.

Voor het eigenlijk kopiëren van de cd, kunt u op de overige tabbladen nog een aantal opties instellen. U krijgt hier een overzicht van enkele handige opties op de tabbladen **Opties lezen** en **Branden**.

Het tabblad Opties lezen

Het volgende tabblad in de lijst is het tabblad **Opties lezen**. Hier stelt u in hoe Nero omgaat met leesfouten op de cd. Deze kunnen ontstaan doordat een cd vies of beschadigd is. U begint met de mogelijkheden van datagegevens:

- **Profielselectie**: Hier kunt u een aantal vooraf gedefinieerde kopieeropties instellen, zoals **Video-CD**. Als u een van deze opties selecteert, dan stelt Nero Burning ROM automatisch de bijbehorende configuratieopties in. U kunt ook kiezen voor **Door gebruiker bepaald** en zelf de opties instellen.

- **Leesfouten negeren**: Als u dit selectievakje inschakelt, dan worden leesfouten in data-tracks genegeerd en gewoon op de cd gebrand. Dit is vooral handig bij Video-CD's die defecte sectoren hebben door een matige foutcorrectie. Het meebranden van deze sectoren veroorzaakt geen kwaliteitverlies. Als u het vakje niet inschakelt, dan worden lege sectoren gebrand op de plek van de beschadiging. Er is minder tijd nodig om de sector te lezen, maar er zijn korte periodes waarin u geen informatie ziet of hoort.

- **Sectoren lezen kan in RAW-modus**: Als deze optie is ingeschakeld, dan probeert het station meer details van het bronmedium te lezen. Als het bronstation deze leesmodus ondersteunt, dan worden 2352 bytes per sector gelezen. Er bestaan twee verschillende soorten RAW-data:

a RAW-DAO is de meest uitgebreide vorm van subchanneldata, waarbij ook verminkte inhoudsopgaven ondersteund worden. Als u het selectievakje **Alle subchannel-data lezen** inschakelt, dan worden ook deze gegevens gelezen. Dit werkt vooral goed bij DAO/96.

b RAW-SAO is een uitgeklede versie van RAW-DAO, waarbij er voor sommige subchanneldata geen ondersteuning is.

Bij audio kunt u hier kiezen voor het negeren van leesfouten. Het is verstandig om deze optie altijd in te schakelen, want leesfouten zijn bij audio nauwelijks hoorbaar. Het selectievakje **Indices van audiodata lezen** kunt u beter niet aanvinken. Dit is immers een mogelijkheid die bij audio-cd's nauwelijks wordt gebruikt. Concreet maakt u de volgende keuzes:

1 Kies **Audio-cd** in de keuzelijst **Profielselectie**.

2 Controleer in het tekstvak **Audio-tracks** of het selectievakje **Leesfouten negeren** is ingeschakeld.

3 Laat alle andere vakjes zoals ze zijn.

Het tabblad Branden

Op het laatste tabblad maakt u instellingen voor het branden. Als het goed is, dan heeft Nero voor u de brandsnelheid gekozen en is ook automatisch de methode **Disc-At-Once** geselecteerd. U laat het selectievakje **Schrijven** het beste ingeschakeld.

Kopiëren met een kopiebestand

In het vorige deel maakte u een snelkopie van een audio-cd. De veiligste manier om te kopiëren is echter door gebruik te maken van een kopiebestand. Zoals de naam al zegt, is een kopiebestand een kopie van de inhoud van een cd die als een bestand op de harde schijf wordt geplaatst. Er zijn twee soorten kopiebestanden:

- **Tijdelijke kopiebestanden**: Deze worden gemaakt als u een cd gewoon kopieert. Na het kopiëren kunt u het bestand verwijderen of opnieuw gebruiken, en zo meer dan één cd branden met dezelfde informatie.

- **Kopiebestanden**: Dit zijn echte bestanden die u opneemt met een virtuele recorder. Daarna gedraagt het bestand zich alsof het een cd is.

Kopiebestanden zorgen ervoor dat u heel veilig kopieert. U maakt immers eerst een kopie op de harde schijf, en dan brandt u deze op een cd. Als er iets mis gaat tijdens het branden, dan brandt u de kopie opnieuw. De kopiebestanden zijn ook gemakkelijk als u vaak dezelfde informatie op cd zet, zoals een handleiding. Een nadeel is dat kopiebestanden erg veel ruimte innemen op de harde schijf.

In dit voorbeeld maakt u een kopie met een kopiebestand. U start het kopiëren net als in het vorige deeltje: u plaatst de bron-cd en klikt op het pictogram **Kopiëren**. Daarna schakelt u op het tabblad **Kopieeropties** het selectievakje **Snelkopiëren** uit. Hierdoor kunt u instellingen maken op het tabblad **Image**.

Het tabblad Image

Op dit tabblad kunt u bijvoorbeeld instellen waar u het kopiebestand wilt plaatsen. Standaard is dit de map **Users\[pc-naam]\Documents**. In dit voorbeeld behouden we deze locatie. Het bestand zelf heeft als naam **TempImage** met de extensie **.nrg**.

Vink het selectiebestand **Imagebestand wissen na kopiëren schijf** uit. U wilt dit bestand immers behouden. Vervolgens test u de snelheid van uw harde schijf. Dit doet u door

TIP

Windows Vista en programma's onder Windows Vista plaatsen bestanden die u zelf maakt standaard in de map **Documenten**. Als u een programma voor de eerste keer start en een bestand wilt openen, dan is dit ook de eerste map waarin een programma zoekt. U werkt dus het snelste als u steeds met deze map werkt.

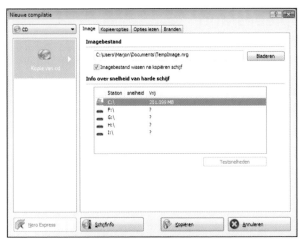

op de knop **Testsnelheden** te klikken. U krijgt dan een overzicht van de snelheid en de hoeveelheid informatie in het vak **Info over snelheid van harde schijf**.

> **INFO**
>
> U kunt nu eventueel aanvullende instellingen maken op het tabblad **Opties lezen**. Voor meer informatie hierover, kunt u terecht in het vorige deel van dit hoofdstuk.

Het kopiebestand bekijken

Als u op **Kopiëren** klikt, dan analyseert Nero de cd en meldt het programma onder meer dat er een image wordt gemaakt voor het branden. Als het kopiebestand af is, dan meldt Nero dit eveneens. Het cd-romstation en de cd-brander gaan open en u wordt verzocht om een lege schijf in de brander te plaatsen. Voor u dat doet, bekijkt u het kopiebestand in de map **Documenten**.

1. Klik hiervoor in het startmenu op **Documenten**.

2. Open de map **Documenten**.

> **TIP**
>
> Deze map vindt u doorgaans helemaal bovenaan in de Verkenner.

3. Zoek naar een pictogram met de naam **TempImage**. Meestal vindt u dit in de root van de map.

4. Klik met de rechtermuisknop op het bestand en kies **Eigenschappen** in het snelmenu.

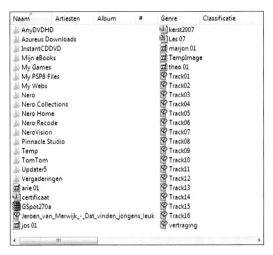

U kunt nu de eigenschappen van het bestand bekijken. Als u dat wilt, dan kunt u een cd in de brander plaatsen en het bestand branden, maar u kunt ook alles annuleren en het brandproces beëindigen.

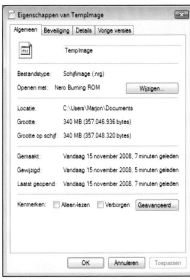

Het kopiebestand branden in Nero

Een kopiebestand kunt u ook openen in Nero. U komt dan direct in het venster **Compilatie branden**, de mogelijkheid **CDImage** is al geselecteerd. In dit venster bekijkt u alle informatie over het kopiebestand en daarna brandt u het op een cd. U volgt hiervoor dit stappenplan:

1. Kies **Bestand / Openen**.

2. Selecteer het bestand **TempImage** in het dialoogvenster **Openen**.

3. Klik in het venster **Openen** op **Openen**. Dit kan enige tijd duren, zeker als het om een groot bestand gaat.

4. Klik in het venster **Compilatie branden** op het tabblad **Info** en bekijk de gegevens.

INFO
U kunt ook dubbelklikken op het bestand.

5 Plaats een cd in de brander en klik op het tabblad **Branden**.

6 Rond het brandproces af, sluit de brander en klik op het pictogram **Schijfinfo**.

Zoals u ziet, bestaat het bestand weer uit de originele informatie.

De gekopieerde cd controleren

U kunt de cd testen om na te gaan of het kopiëren gelukt is. Als u dat doet in Windows Media Player, dan ziet u dat alle namen van de tracks worden ingevuld. Een nadeel is dat WMP niet naar cd kan schrijven. U ziet de informatie dus alleen tijdens het afspelen in de Media Player.

De virtuele brander

Kopiebestanden kunt u ook maken met een virtuele brander. Dan kopieert u geen cd, maar maakt u een compilatie van bijvoorbeeld een aantal nummers van verschillende cd's. Daarna brengt u alles bij elkaar in een kopiebestand. Dit bestand kunt u vervolgens als een complete cd branden.

Een kopiebestand maken

In het volgende voorbeeld gebruikt u de virtuele brander voor het maken van de kopie. Eerst kiest u de nieuwe brander, daarna maakt u de instellingen zoals u dat gewend bent. Vervolgens brandt u het kopiebestand.

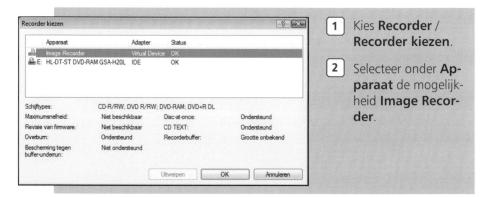

1 Kies **Recorder / Recorder kiezen**.

2 Selecteer onder **Apparaat** de mogelijkheid **Image Recorder**.

3 Bekijk de eigenschappen voor de **Image Recorder** en klik op **OK**.

4 Maak een compilatie zoals u eerder deed en klik op het pictogram **Branden**.

5 Maak eventueel andere instellingen en klik op **Branden**.

Omdat u een kopiebestand maakt, gaat u nu anders te werk dan hiervoor. Eerst moet u het kopiebestand een naam geven en een locatie kiezen:

1 Geef in het venster **Imagebestand opslaan** het bestand een naam.

2 Handhaaf als locatie de map **Documenten**.

3 Klik op **Opslaan**.

> **TIP**
>
> Als u een audio-cd kopieert, dan kunt u de naam van de cd gebruiken. Als u echter een compilatie maakt van alle hits uit het jaar 2008, dan is het beter om een omschrijving te geven als **compilatie2008**.

Het kopiebestand wordt op dezelfde manier gemaakt als een gewone cd. Daarna kunt u het bestand openen en er een cd van branden, zoals u eerder deed. Zet in dat geval de brander terug naar een gewone brander.

Kopiebestanden verwijderen

Als u klaar bent met uw kopiebestanden, dan moet u ze van de harde schijf verwijderen. De bestanden nemen immers erg veel plaats in. Het verwijderen van dergelijke bestanden kunt u goed doen via de optie **Documenten** van het startmenu:

1 Klik in het startmenu op **Documenten**.

2 Kies vervolgens de map met de naam van de computer en klik op **Documenten**.

3 Klik met de rechtermuisknop op een kopiebestand.

4 Kies **Verwijderen** in het snelmenu.

Besluit

Met Nero ImageDrive bent u aan het einde gekomen van dit hoofdstuk. U maakte kennis met verschillende manieren van kopiëren: met of zonder tijdelijke bestanden, met verschillende categorieën, via slepen en neerzetten. Dit hoofdstuk sloot af met ImageDrive en het verwijderen van kopiebestanden. Met Nero ImageDrive zet u kopiebestanden om naar een virtuele cd, zodat u alle informatie kunt uitlezen.

In dit hoofdstuk maakte u al kennis met het aanmaken van audio-cd's. Dit wordt in het volgende hoofdstuk verder uitgewerkt.

Audio bewerken

3

In het vorige hoofdstuk kopieerde u audiotracks naar de harde schijf van uw pc. Vervolgens brandde u deze bestanden op een cd. Wat u niet deed, was de audio bewerken. Dit aspect komt uitgebreid aan bod in dit hoofdstuk: u maakt kennis met Nero WaveEditor. Verder staat u stil bij het opslaan en coderen van tracks. Daarmee begint u in het volgende deel. Helemaal aan het einde van dit hoofdstuk, spreken we over de invoegtoepassing Gracenote.

Tracks coderen en bewerken

Als u tracks hebt gedigitaliseerd, dan kunt u ze opslaan in verschillende formaten, afhankelijk van uw eigen behoeften. De voornaamste bestandsformaten zijn:

- **WAVE**: Zoals de naam al zegt, wordt dit type weergegeven in de vorm van geluidsgolven. Het formaat is ontwikkeld door Microsoft. Compressie vindt plaats door de manier waarop de informatie wordt samengesteld: eerst komt een header met verschillende gegevens – bijvoorbeeld of het geluid mono of stereo is – en daarna volgen de aansluitende golfvormgegevens. U herkent wave-bestanden aan de extensie **.wav** en aan de karakteristieke golfvorm als u het bestand opent.

- **mp3**: Dit is de afkorting van MPEG1 Layer 3 Audio Compression. Het geluid is sterk gecomprimeerd en de bestanden worden vooral gebruikt op het internet. Tegenwoordig bestaan ook mp3Pro en mp4. Hiervoor biedt Nero een speciale invoegtoepassing. Evenals bij mp3 worden bestanden gecomprimeerd, maar de compressie is slimmer en sneller.

- **WMA**: Dit is de afkorting van Windows Media Audio; de bestanden zijn geschikt voor het afspelen in Windows Media Player. Deze is in staat om tracks te herkennen en aanvullende informatie te verschaffen, zoals de titel van een cd of track en de naam van de uitvoerende artiest.

- **VQF**: Deze bestandsindeling werd door het bedrijf Yamaha ontwikkeld als concurrent voor het mp3-formaat. Het comprimeert 10 procent kleiner dan mp3, maar u heeft er wel een bijzonder snelle processor voor nodig.

- **AIFF**: Dit formaat is ontwikkeld door Apple voor gebruik op een Macintosh.

Welk formaat u kiest, hangt natuurlijk af van uw eigen behoeften. Zo kunt u een track opslaan als mp3-bestand; het voordeel hiervan is dat u op deze manier veel tracks op één cd kunt zetten. Het nadeel is dat er bij de conversie kwaliteits-verlies optreedt. Dit formaat is ideaal wanneer u bestanden wilt afspelen op uw mp3-speler. Als u ze echter wilt afspelen op uw pc, dan kiest u het beste voor het wma-formaat.

Bestanden coderen

Het coderen van bestanden gaat altijd op dezelfde manier. Eerst geeft u op dat u wilt coderen en daarna voegt u de te coderen bestanden toe. U kunt net zo veel bestanden toevoegen als u zelf wilt:

1 Open Nero Burning ROM en kies **Extra's / Bestanden coderen**.

2 Klik in het venster **Bestanden coderen** op de knop **Toevoegen**.

Bestanden coderen						? ✖
Te coderen bestanden:				☐ Volledige paden weergeven		
Bron	Ext	Doel	Ext	Duur	Status	

Toevoegen...	Verwijderen	Alles verwijderen	Status herstellen	Start	Sluiten

Eigenschappen

Format uitvoerbestand: ⟨ ⟩ [Instellingen...]

[Bladeren...]

Info bronbestand:

3 Navigeer in het venster **Openen** naar de map **Muziek** of een an-dere plek waar u muziekbestanden hebt opgeslagen.

Als u meerdere bestanden tegelijk wilt selecteren, dan drukt u de [Shift]-toets in en selecteert u de eerste track die u wilt coderen. Vervolgens klikt u op de laatste track en kiest u **Openen**.

INFO

4 Schakel in het venster **Bestanden coderen** het selectievakje **Volledige paden weergeven** in.

Als u goed naar het venster gekeken hebt, dan ziet u dat u heel veel informatie over de tracks krijgt. U ziet bijvoorbeeld wat de naam van de track is, hoe lang deze duurt, wat het formaat is, enzovoort. U ziet ook dat op dit moment het bronbestand en het doelbestand hetzelfde zijn en dat de extensies overeenkomen. Dat wilt u natuurlijk niet. In het volgende deel ziet u hoe u dit wijzigt.

Bestandsinformatie wijzigen

Eerst wijzigt u de extensie en daarna de map waarin de nieuwe bestanden worden geplaatst. Vervolgens wijzigt u de conversie-instellingen van mp3Pro. U volgt hiervoor deze stappen:

1 Selecteer een bestand en kies in de keuzelijst **Format uitvoerbestand voor mp3Pro**.

2 Klik op **Bladeren** achter de keuzelijst **Doelbestand** en selecteer daarna in het venster **Map selecteren** de map **Openbaar / Openbare muziek.** U kunt ook een andere locatie kiezen.

TIP

Als u niet over de officiële insteekmodule beschikt, dan ziet u waarschijnlijk een reclametekst voor mp3Pro. Sluit deze afbeelding.

3 Klik op **Opslaan** en selecteer **Instellingen** achter de keuzelijst **Format uitvoerbestand**.

4 Kies in het venster **mp3Pro** in de keuzelijst **Coderingskwaliteit** voor **Snel** en vink het keuzerondje **Constante bitsnelheid** aan.

5 Accepteer de aanbevolen snelheid en klik op **OK**.

6 Klik op **Start** in het venster **Bestanden coderen** om het coderen te starten.

De bestanden worden geconverteerd en de status van de conversie wordt bijgehouden. Klik vervolgens op **Sluiten** om het venster **Bestanden coderen** af te sluiten.

INFO

U kunt nu nog 15 tracks converteren naar mp3 als u niet beschikt over de officiële insteekmodule.

Mp3- en wave-bestanden vergelijken

U las eerder al dat het mp3-formaat veel kleiner is dan het wave-formaat. Het kwaliteitsverschil bij het gewone beluisteren is echter nauwelijks te horen. Als u het verschil tussen de twee wilt bekijken, dan opent u de bestanden een voor een in Windows Verkenner en bekijkt u de bestandseigenschappen:

1. Open Windows Verkenner en ga naar de map **Openbare documenten**.

2. Selecteer het mp3-bestand dat u hiervoor converteerde en laat uw muiswijzer op het bestand rusten tot u ziet uit hoeveel MB het bestand bestaat.

3. Ga vervolgens naar het originele bestand. Bekijk het verschil in afbeeldingformaat. U ziet nu dat het mp3-bestand veel kleiner dan het origineel.

Als u het verschil in geluidskwaliteit wilt testen, dan opent u eerst het ene bestand in de Windows Media Player en speelt u het af. Daarna speelt u het tweede bestand af en beluistert u de verschillen. Als u onaanvaardbare verschillen hoort in de kwaliteit, dan blijft u bij het wave-bestand. Bent u tevreden over de kwaliteit van het mp3-bestand, dan kiest u hiervoor.

Het komt u misschien logisch voor om de wave-bestanden vervolgens weg te gooien om ruimte te maken op de harde schijf. Dat kunt u alleen maar doen als u 100% zeker weet dat u de bestanden niet meer wilt bewerken. Bij elke bewerking wordt een kopie van het origineel gemaakt. Als dit gepaard gaat met compressie, dan levert dit kwaliteitsverlies op. Als u dergelijke bestanden nog verder wilt comprimeren, dan treedt er nog meer kwaliteitsverlies op tot u bestanden van een zeer lage kwaliteit overhoudt. Daarom is het verstandig om altijd de originele kopie te handhaven en van hieruit alle instellingen te maken.

In het volgende deel gaat u het mp3-bestand op cd branden. Hiervoor gebruikt u Nero Express.

Een mp3-schijf maken in Nero Express

Nero Express biedt niet alleen een goede introductie op Nero zelf, het programma is ook heel geschikt voor het maken van complete mp3-cd's of -dvd's. Zoals bij alle cd-compilaties geeft u eerst op waar de bestanden staan en voegt u deze toe aan de cd. Eerst gaat u over van Nero naar Nero Express. Dit doet u door **Help** / **Gebruik Nero Express** te selecteren.

1. Klik op **Muziek** aan de linkerkant van het venster. Klik vervolgens op **Jukebox Audio-cd**.

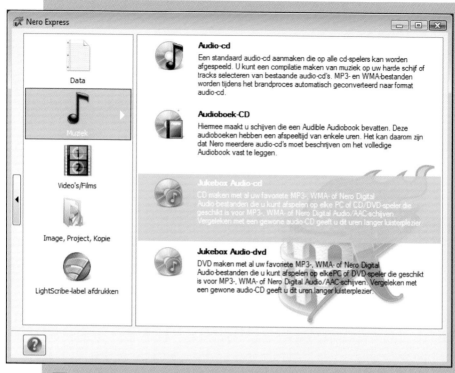

2 Klik in het venster **Mijn JukeBox-schijf** op **Toevoegen**.

3 Navigeer in het venster **Bestanden en mappen toevoegen** naar een map met de mp3-bestanden die u wilt toevoegen, bijvoorbeeld de map uit het vorige deel. Selecteer een aantal bestanden.

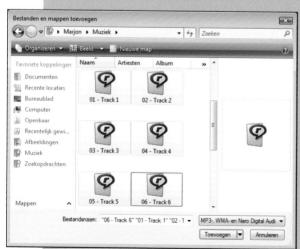

4 Klik daarna op **Toevoegen**.

> **TIP**
>
> Houd de [Shift]-toets ingedrukt om een hele rij bestanden in een keer te selecteren.

U komt nu terug in het venster **Mijn JukeBox-schijf**. De bestanden zijn toegevoegd. In dit venster kunt u een aantal gevorderde instellingen maken. Vervolgens klikt u op de knop met het pijltje aan de linkerkant van het venster. Als u kijkt naar de hoeveelheid informatie die op de cd kan worden gebrand, dan ziet u dat het mp3-formaat weinig ruimte

inneemt. Waar de originele bestanden een complete cd in beslag namen, is dat bij de mp3-bestanden slechts een beperkt aantal MB. U kunt nu allerlei mp3-bestanden toevoegen aan uw compilatie tot de cd vol is.

De rest van het proces verloopt zoals u dat gewend bent: u kunt een snelheid kiezen en instellen hoeveel kopieën u wilt maken. Houd er wel rekening mee dat uw afspeelapparaat met het mp3-formaat overweg moet kunnen.

Audio bewerken

In het vorige deel zag u dat het digitaliseren van audiobestanden heel wat plaatswinst kan opleveren. Een ander groot voordeel is dat u de bestanden kunt bewerken. Zo kunt u effecten en filters toevoegen, maar ook krassen of tikken verwijderen. Dat is bijvoorbeeld erg handig als u nog over nummers op lp's beschikt die door de krassen niet meer om aan te horen zijn. U kunt de lp's digitaliseren en ze vervolgens bewerken in Nero WaveEditor. Deze toepassing kent immers een aantal functies om uw geluid aanzienlijk te verbeteren, zoals ruis onderdrukken of tikken verwijderen. U vertrekt het beste van wave-bestanden om de bewerking op toe te passen.

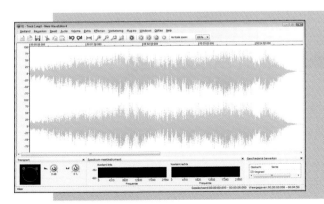

1 Kies **Alle programma's** / **Nero** / **Nero 9** / **Nero WaveEditor**.

2 Kies **Bestand** / **Openen**.

> **3** Selecteer in het dialoogvenster een van de wave-bestanden die u eerder maakte. Klik op **Openen**. U ziet het wave-bestand in Nero WaveEditor.

Ruis verwijderen

Ruis bestaat uit ongewenste achtergrondgeluiden, zoals gebrom. Voor u deze ruis verwijdert, doet u eerst een ruisanalyse. Hierbij analyseert Nero de frequentiekenmerken van de ruis. Het programma filtert deze vervolgens uit de hele opname. Ruisanalyse zelf verandert niets aan uw bestand, het stelt u enkel in staat om aan ruisonderdrukking te doen. Volg hiervoor deze stappen:

> **1** Ga naar het begin of het einde van de track en klik op de linkermuisknop.
>
> **2** Beweeg de muis naar rechts of naar links om een deel te selecteren. Zorg dat u genoeg selecteert, anders kan Nero de ruisanalyse niet afronden.

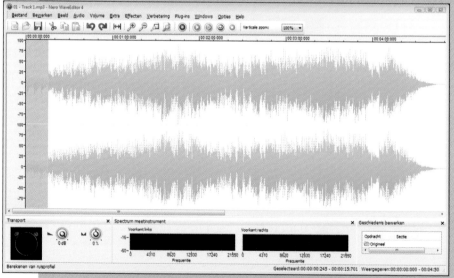

> **3** Kies **Verbetering / Ruisanalyse**. Links onderin ziet u het verloop van de ruisanalyse.
>
> **4** Klik op **OK** als u de melding **Ruisanalyse met succes voltooid** krijgt.

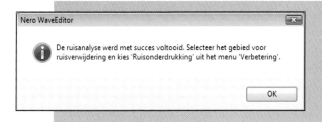

Na de analyse gaat u over tot ruisonderdrukking. Een goede werkwijze hierbij is om eerst naar de uitersten te zoeken, dus helemaal niet of juist heel veel aan onderdrukking te doen. Daarna zoekt u de juiste hoeveelheid onderdrukking. Om het juiste niveau te bepalen, luistert u telkens naar een voorbeeld. U hoort de verschillen het duidelijkste als u gebruikmaakt van een hoofdtelefoon.

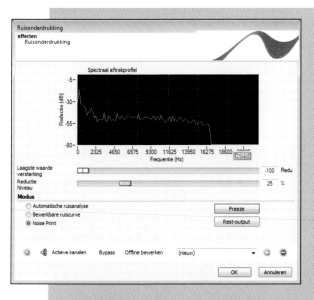

1 Markeer het hele audiobestand door op [Ctrl]+[A] te drukken.

2 Kies **Verbetering / Ruisonderdrukking**.

3 Beweeg in het venster **Ruisonderdrukking** de schuifregelaar **Reductieniveau** naar links en bekijk het resultaat in het venster **Spectraal aftrekprofiel**.

4 Beweeg de schuifregelaar naar rechts tot u duidelijk een verschil hoort met het punt waarop geen ruisreductie wordt toegepast.

5 Beweeg de schuifregelaar verder naar rechts en kijk of het geluid nog beter wordt. Als u vindt dat de kwaliteit vermindert, dan beweegt u de schuifregelaar weer naar links.

6 Klik op **Freeze** als u tevreden bent.

7 Klik vervolgens op **OK** om het venster te sluiten en terug te keren naar WaveEditor.

8 Klik met de linkermuisknop in de selectie om deze op te heffen.

Storende tikken wegwerken

Als u langspeelplaten hebt gedigitaliseerd, dan hoort u mogelijk storende tikken in de vorm van gekraak. In de WaveEditor van Nero kunt u deze tikken verwijderen. Net zoals bij ruisonderdrukking is het niet mogelijk om u precies te zeggen welke instellingen u moet kiezen. Dit hangt onder meer af van de mogelijkheden van uw pc. U krijgt hier een globaal beeld van hoe deze optie werkt.

> **INFO**
>
> U krijgt het beste idee als u effectief gebruikmaakt van een opgenomen lp met tikken. Het is echter geen ramp als u niet over zo'n opname beschikt. Het belangrijkste is immers dat u de werkwijze leert.

Eerst verwijdert u de tikken uit de muziek. Daarbij stelt u in hoe gevoelig Nero is voor tikken en hoe lang een tik mag duren voordat Nero ingrijpt.

Open een gedigitaliseerd bestand met tikken en kies **Verbetering** / **Tikken verwijderen**. Vervolgens zet u de volgende stappen in het venster **Tikken verwijderen**:

1 Vink het selectievakje **Tikken verwijderen** aan.

2 Klik met de linkermuisknop op de **Detectiedrempel**. Druk de linkermuisknop in en sleep de muis naar links om de drempel te verlagen. In dit voorbeeld werd de drempel op 7 gezet.

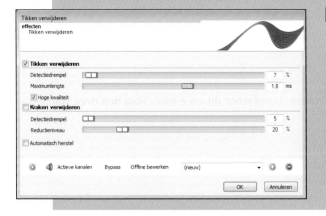

3 Klik met de linkermuisknop op de **Maximumlengte**. Druk de linkermuisknop in en sleep de muis naar rechts om vast te stellen hoeveel milliseconden een tik mag duren voor Nero deze corrigeert.

4 Laat het selectievakje **Hoge kwaliteit** aangevinkt als u over een snelle pc beschikt met veel geheugen.

5 Klik op **Spelen** om het bestand weer te geven met de instellingen die u hierboven maakte.

6 Wijzig eventueel de instellingen tot u tevreden bent en klik daarna op **OK**.

Overige mogelijkheden

Als u geen tikken op uw track hebt, maar een krakend geluid hoort, dan kunt u dit op gelijke manier wegwerken. U vinkt hiervoor het selectievakje **Kraken verwijderen** aan en maakt daar instellingen voor de detectie.

In Nero WaveEditor kunt u natuurlijk nog veel meer. Zo brengt u spectaculaire wijzigingen aan als u gebruikmaakt van effecten zoals **Chorus** of **Wah-wah**. U bent dan niet meer bezig met het repareren van muziek; u wijzigt de bestaande tracks dan echt.

De invoegtoepassing Gracenote

In vorige versies van Nero gebruikte u Freedb om de titel van een cd en de songs op de cd te herkennen. Sinds Nero 9 gebruikt het programma Gracenote. Hiermee kunt u metagegevens van muziek ophalen, zoals informatie over het album of de artiest en aanvullende gegevens. Vooral bij het kopiëren van audio-cd's is Gracenote erg handig. Deze toepassing is standaard geïnstalleerd. U hoeft enkel een serienummer aan te vragen en Gracenote te activeren. Dat doet u via het ControlCenter van Nero.

Surf naar http://www.nero.com/enu/store-gracenote.html om het serienummer van Gracenote aan te vragen. U ontvangt dit via e-mail. Volg dan deze stappen:

1 Open Nero StartSmart en klik op **Toolbox**.

2 Klik op **Licentie** aan de linkerkant van het venster.

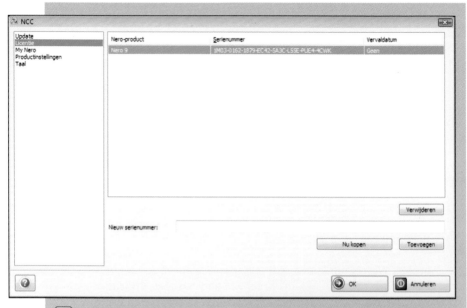

3 Vul het licentienummer in dat u via e-mail hebt ontvangen.

4 Klik op de knop **Toevoegen** om de invoegtoepassing te activeren.

TIP Om ervoor te zorgen dat u geen fouten maakt, kunt u dit nummer het beste kopiëren en plakken.

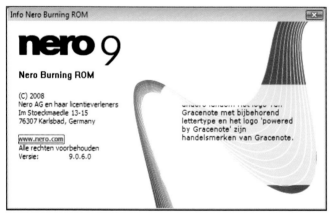

Na het activeren vult Nero automatisch de gegevens van songs in die u kopieert. Om te testen of Gracenote aanwezig is, kiest u **Help** / **Over Nero Burning ROM**. Bekijk het venster **Info Nero Burning ROM** en sluit het vervolgens.

Besluit

In dit hoofdstuk kreeg u informatie over het bewerken van audio. U converteerde tracks naar mp3-bestanden en bekeek de verschillen tussen mp3- en wave-bestanden. In het tweede gedeelte van dit hoofdstuk kwam Nero WaveEditor aan bod. Hierin bewerkte u geluid. Als laatste bespraken we de invoegtoepassing Gracenote. Deze is nieuw in Nero 9.

Het volgende hoofdstuk gaat in op het aanmaken van cd's. U leert hoe u zelf data-cd's en multimedia-cd's kunt maken. Bovendien krijgt u meer informatie over het aanmaken van multisessieschijven.

Verschillende soorten cd's maken

4

In dit hoofdstuk maakt u zelf cd's met Nero. U begint eenvoudig met het maken van een data-cd. Data-cd's – en natuurlijk ook data-dvd's – behoren tot de meest voorkomende schijven. Ze zijn relatief eenvoudig aan te maken omdat er weinig instellingen aan te pas komen. Een typische data-schijf is bijvoorbeeld een cd met daarop een programma, of een aantal teksten en afbeeldingen. Bij data-schijven krijgt u soms te maken met multisessie. Hierbij wordt een schijf niet in één keer gebrand, maar in een aantal afzonderlijke sessies volgeschreven. Zo kunt u informatie blijven toevoegen aan de schijf.

Met Nero kunt u ook speelfilms op cd zetten. Hiervoor maakt u gebruik van de formaten Video-CD (VCD), of Super Video-CD (SVCD). Elk formaat kent bestandstypen waar het al dan niet mee overweg kan: zo kan SVCD enkel overweg met MPEG-2-bestanden, terwijl VCD enkel overweg kan met MPEG-1-bestanden. Uw keuze voor een bepaald formaat hangt af van verschillende zaken, zoals de hoeveelheid materiaal en de kwaliteit.

Data-cd's maken

Een data-cd bevat gegevens zoals een programma, spelletjes, teksten, e-mails, archieven, enzovoort. U kunt deze cd's enkel afspelen in een cd- of dvd-romstation. Met andere woorden: ze zijn enkel geschikt voor gebruik op pc. Voor het maken van een data-cd hebt u twee zaken nodig:

- Een beschrijfbare schijf.
- De data die u op de cd wilt branden.

INFO

Als deze data door u zijn aangemaakt, dan is er geen enkel probleem. U mag zonder enige restrictie uw eigen Word-documenten, Excel-werkbladen of digitale foto's op cd zetten. Als u echter een data-cd wilt maken met een programma dat u hebt gekocht, dan moet u er rekening mee houden dat dit programma auteursrechterlijk beschermd is. U mag één back-up maken voor eigen gebruik, maar u mag geen kopieën van het programma verspreiden.

Als u gegevens op cd brandt, dan verloopt dit in drie fasen:

- Eerst kiest u de instellingen voor de compilatie in het venster **Nieuwe compilatie**. Zo kiest u welke schijf u brandt en kiest u een ISO-standaard.

- Vervolgens voegt u de bestanden toe aan de compilatie. Daarna keert u terug naar het compilatievenster.

- In een derde stap keert u opnieuw naar het compilatievenster, maar nu kiest u de instellingen voor het branden van de schijf.

Instellingen voor de compilatie

Volg dit stappenplan om alle instellingen voor de compilatie concreet uit te voeren:

1 Plaats een lege cd in de brander en start Nero Burning ROM.

2 In het venster **Nieuwe compilatie** is de keuze **Cd-rom (ISO)** vermoedelijk al gemaakt.

3 Vink op het tabblad **Multisessie** het selectievakje **Geen multisessie** aan. Vaak is deze keuze al voor u gemaakt.

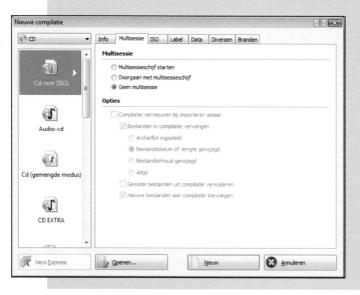

4 Klik op het tabblad **ISO** om na te gaan welke instellingen al gemaakt zijn. Onderaan in het venster leest u onder **Tips** welke beperkingen nu gelden.

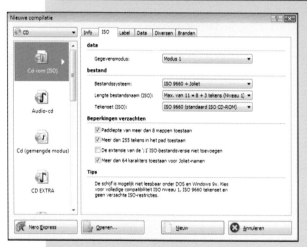

5 Kies voor **Alleen ISO 9660**, met een bestandsnaam van maximaal 11 (8+3) karakters en de ISO-tekenset. Vink verder alle selectievakjes uit, zodat er geen beperkingen meer gelden. De schijf is nu compatibel met alle platformen.

6 Klik op het tabblad **Label** om uw schijf een naam te geven. In dit voorbeeld werd gekozen voor **Automatisch** en werd een schijfnaam ingegeven.

Na het opgeven van een schijfnaam kunt u een datum invullen door te klikken op **Datum toevoegen**. Er zijn drie opties:

- **Gebruik huidige datum**: In dit geval worden bestanden die u op uw schijf opent altijd weergegeven met de datum waarop u ze op de schijf hebt gebrand.

- **Gebruik deze datum**: Hierbij worden de bestanden altijd met deze datum getoond.

- **Gebruik datum van compilatie**: In dit geval worden de bestanden getoond met daarbij de datum waarop u ze op cd zette. Dit is handig als u een back-up maakt, want zo kunt u de datum van de laatste back-up zien.

7 Stip het keuzerondje **Gebruik datum van compilatie** aan en klik daarna op **OK** om terug te keren naar het tabblad **Label**.

8 Klik op **Meer labels** onder het kopje **Gevorderd** en vul het venster in. Bij **System identifier** geeft u **Windows** in. U kunt ook een naam ingeven bij **Copyright-bestand**.

9 Klik op **OK** om het venster te sluiten en terug te keren naar het tabblad **Label**.

De cd branden

Klik nu op **Nieuw** om het maken van de nieuwe compilatie te starten. U keert terug in het hoofdvenster van Nero. Vervolgens sleept u een aantal bestanden naar het compilatievenster. Zoals u ziet, verloopt de naamgeving conform de ISO-standaard.

Als u alle bestanden in het compilatievenster geplaatst hebt, dan klikt u op het pictogram **Branden**.

Brandinstellingen maken

Bij het branden van cd's krijgt u te maken met verschillende termen. We behandelen ze hier kort:

- **Bescherming tegen buffer-underrun**: Bij deze methode wordt de hele schijf in één keer gebrand. Het grote voordeel is dat het brandproces snel gaat en dat de cd slechts één keer wordt gelezen en beschreven. U loopt dus geen risico dat er al informatie op de cd staat waardoor het branden mislukt.

- **Disc-at-once** (**DAO**): Bij disc-at-once wordt de hele schijf – inclusief pauzes – gekopieerd. Dat gebeurt door achter elkaar de lead-in, de informatie en vervolgens de lead-out te maken. De lead-in staat aan het begin van elke cd en bevat de complete inhoudsopgave. Deze wordt ook Table Of Contents (TOC) genoemd. Dankzij de TOC kunnen cd- en dvd-stations de schijf lezen. De lead-out staat aan het einde van een cd en is een soort buffer. Als het station de lead-out leest, dan eindigt het afspelen.

Nu u weet welke mogelijkheden er bestaan voor het branden van een schijf, gaat u hier verder met het maken van instellingen. In dit geval kiest u voor DAO, want u brandt geen multisessie-cd. Om meer controle te krijgen over het brandproces, kiest u **DAO/96**.

Plaats een cd in de brander en volg deze stappen:

1 Kies als brandproces **Disc-At-Once/96**.

2 Vink het selectie-vakje **Simulatie** uit en vink het selec-tievakje **Schrijven** aan. Het selectie-vakje **Schijf sluiten (Schrijven niet meer mogelijk!)** is niet beschikbaar.

3 Klik op **Branden**. Deze knop is nu actief aan de on-derkant van het venster.

Tijdens het branden wordt de voortgang getoond. Als het branden is afgerond, dan wordt dat gemeld.

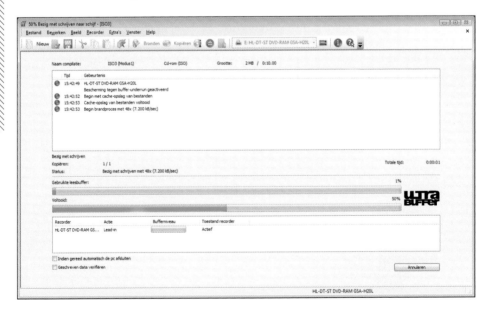

Lees de meldingen die u krijgt tijdens het branden; zo krijgt u een goed beeld van het proces. Sluit na het branden alle vensters om terug te keren naar Nero.

Multisessieschijven maken

Bij multisessieschijven brandt u meer dan één sessie op een schijf en wordt de schijf niet afgesloten, zodat u later informatie kunt toevoegen. Een multisessie-cd brandt u net zoals een gewone cd. U geeft vooraf op dat er sprake is van multisessie, waardoor u niet meer kunt kiezen voor een bepaalde schrijfmethode. Multisessie-cd's lenen zich goed voor het maken van verzamel-cd's met documenten, archieven en muziek.

In het volgende voorbeeld maakt u een multisessie-cd voor een aantal documenten. Daarna brandt u nieuwe gegevens op dezelfde cd. In dit voorbeeld wordt een back-up gemaakt van een aantal hoofdstukken van deze Snelgids. Als er een nieuw hoofdstuk af is, dan wordt het aan de multisessie-cd toegevoegd.

Een multisessie-cd opstarten

Start met het maken van een nieuwe compilatie:

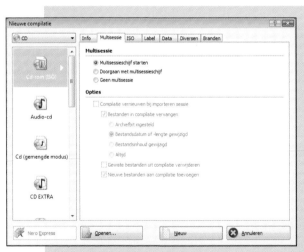

1 Kies voor **Nieuw** in de werkbalk om het venster **Nieuwe compilatie** te openen. Selecteer daarna weer **Cd-rom (ISO)** en klik op het tabblad **Multisessie**.

2 Markeer het keuzerondje **Multisessieschijf starten**.

3 Klik op **Nieuw** aan de onderkant van het venster en geef de cd vervolgens een naam.

4 Sleep daarna een aantal documenten naar het compilatievenster en klik op het pictogram **Branden**.

5 Plaats een cd in de cd-brander en klik op **Branden**. Merk op dat het selectievakje **Schijf sluiten (Schrijven niet meer mogelijk!)** nu niet is aangevinkt.

6 Rond het brandproces af zoals u eerder deed.

De volgende keer dat u deze cd in de brander plaatst, kunt u kiezen voor de optie **Doorgaan met multisessieschijf** en informatie bijbranden.

> **TIP**
> Het is handig dat u ook aan de buitenkant van de cd kunt zien wat er op de cd staat. Dat is het mooiste met een cd-label. U kunt ook met een zachte stift noteren wat er op de cd staat. Gebruik in geen geval een gewone pen, want hiermee beschadigt u de coating van de schijf.

Materiaal aan een multisessie-cd toevoegen

Als u nieuw materiaal hebt, dan kunt u dit eveneens op de multisessieschijf zetten. Bij **Doorgaan met multisessieschijf** kunt u een aantal keuzes maken:

- **Compilatie vernieuwen bij importeren sessie**: Als u enkel dit selectievakje aanvinkt, dan vernieuwt Nero gewijzigde gegevens als u een nieuwe sessie importeert. Als u ook aanvullende keuzes maakt, dan vraagt Nero u telkens of u een bestand wilt vernieuwen.

- **Bestanden in compilatie vervangen**: Hier hebt u keuze uit de vier volgende mogelijkheden:

  a **Archiefbit ingesteld**: Telkens wanneer een programma wijzigt, krijgt het van Windows een archiefbit toegewezen. Zo weten back-upprogramma's dat er wijzigingen in het bestand zijn opgetreden. Na het opslaan van het bestand zetten deze het archiefbit terug naar nul. Zolang het bit op nul staat, is het bestand dus ongewijzigd. Als u deze optie aanvinkt, dan houdt Nero dit voor u bij.

  b **Bestandsdatum of -lengte gewijzigd**: Nero vervangt alleen bestanden waarvan de datum of de lengte is gewijzigd.

  c **Bestandsinhoud gewijzigd**: Bij deze optie vergelijkt Nero byte voor byte de bestanden op de cd met de bestanden op uw pc. Alle verschillen worden aangepast. Een voordeel is dat beschadigde bestanden op de cd kunnen worden hersteld. Een nadeel van deze methode is dat de beschadiging ook op de harde schijf kan ontstaan. Als u de cd als back-up gebruikt, dan wordt deze in dit geval onterecht gewijzigd.

  d **Altijd**: Alle bestanden en mappen worden vervangen, of er nu wijzigingen opgetreden zijn of niet. Hiermee vergroot u de betrouwbaarheid van uw back-up, maar verliest u ruimte op uw schijf. Alle bestanden worden immers opnieuw geschreven. Toch is het zinvol om dit af en toe te doen.

- **Gewiste bestanden uit compilatie verwijderen**: Met deze mogelijkheid verwijdert Nero verwijzingen naar bestanden op uw cd die niet meer op de harde schijf staan.

- **Nieuwe bestanden aan compilatie toevoegen**: Met deze optie voegt u sessies toe die sinds de laatste keer op de harde schijf zijn gezet.

Uw keuze hangt natuurlijk af van uw eigen voorkeuren. Doorgaans is het onverstandig om Nero automatisch wijzigingen te laten aanbrengen. U verliest zo alle controle over het proces, als u iets wijzigt in het document en dit vervolgens weer opslaat. Daarom werd in dit voorbeeld gekozen om bestanden te vervangen wanneer de datum of de lengte gewijzigd is:

1. Plaats de multisessie-cd weer in de brander en klik op **Branden**.

2. Kies **Bestand / Nieuw**.

3. Stip op het tabblad **Multisessie** het keuzerondje **Doorgaan met multisessieschijf** aan.

4. Vink het selectievakje **Compilatie vernieuwen bij importeren sessie** aan, anders kunt u geen aanvullende instellingen maken.

5. Vink het selectievakje **Bestanden in compilatie vervangen** aan.

6. Stip het keuzerondje **Bestandsdatum of -lengte gewijzigd** aan.

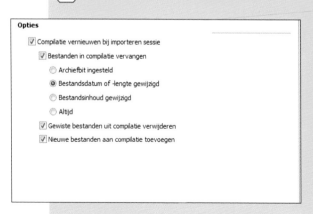

7. Vink de selectievakjes **Gewiste bestanden uit compilatie verwijderen** en **Nieuwe bestanden aan compilatie toevoegen** aan.

8. Klik ten slotte op het tabblad **Branden**.

U keert nu terug in het hoofdvenster van Nero. In het compilatievenster ziet u welke bestanden zijn vervangen en welke niet. De vervangen bestanden zijn zwart, niet vervangen bestanden worden grijs weergegeven. Nero neemt wel een kruisverwijzing op naar de ongewijzigde bestanden.

Zolang multisessieschijven niet zijn afgesloten, kunt u ze behandelen als een harde schijf. Dit betekent bijvoorbeeld dat u net zoals in Windows Verkenner mappen kunt maken. Daarvoor gebruikt u een snelmenu onder de rechtermuisknop in het compilatievenster. Als u helemaal tevreden bent over de schijf, dan kunt u deze voltooien.

De multisessie-cd voltooien

In dit deel sluit u de multisessie-cd af. Dat doet u door opnieuw te kiezen voor het branden van de compilatie, maar nu kiest u ervoor om de cd af te sluiten. Als u dat wilt, dan kunt u instellingen maken op andere tabbladen. Controleer de instellingen en klik daarna op het pictogram **Branden**.

Ga verder te werk zoals hierboven beschreven is. Bekijk eventueel de gegevens in de vensters en sluit ze af. Noteer zoals altijd op de cd wat u erop hebt gebrand. In het volgende onderdeel houden we ons niet bezig met data, maar met het branden van speelfilms op cd.

Een Video-CD maken

In dit deel maakt u een VCD met Nero, inclusief een interactief menu. Een gebruiker navigeert hierbij door de menu's met de knoppen **Vorige** en **Volgende**, met de muis of met de cijfertoetsen van het toetsenbord. Hiervoor moeten uw bestanden aan bepaalde eisen voldoen. Zo moeten ze in de MPEG-1-indeling staan. Als de indeling niet juist is, dan detecteert Nero dit en zal het programma u aanbieden om het bestand opnieuw te coderen.

Algemene instellingen

U kiest eerst de algemene instellingen voor uw VCD. Zo zorgt u ervoor dat deze gebrand wordt met het PAL-signaal, het signaal dat in Europa gebruikt wordt voor het doorgeven van tv-signalen.

INFO

Naast PAL bestaat NTSC, dit systeem wordt gebruikt in de Verenigde Staten.

[1] Open Nero en controleer of de keuzelijst bovenaan op **CD** staat.

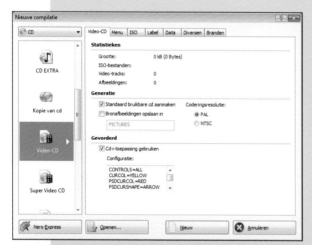

[2] Selecteer vervolgens **Video-CD** in het linkerdeelvenster van **Nieuwe compilatie**. U ziet hier nu allerlei instelmogelijkheden.

[3] Controleer of het keuzerondje **PAL** is aangestipt. Als u het selectievakje **Cd-i-toepassing gebruiken** aanvinkt, dan wordt de Philips Cd-i-applicatie op de cd gezet.

TIP

Cd-i is de afkorting van Compact Disc Interactive. Het is eigenlijk een achterhaald begrip. De Cd-i-speler van Philips was een van de eerste pogingen om te komen tot een echte settop-boxcomputer, zoals de Xbox of de Gamecube. Het apparaat kon gebruikt worden voor spelletjes en voor het bekijken van Video-CD's. Cd-i-spelers worden nog steeds gebruikt bij karaoke.

Na de keuze voor het PAL-signaal kiest u instellingen voor de nieuwe compilatie en voor de titelpagina. Zorg ervoor dat u een MPEG-1-bestand bij de hand hebt en klik op het tabblad **Menu**.

Hier kiest u een aantal instellingen voor de titelpagina van uw VCD:

U kunt op verschillende manieren aan een MPEG-1-bestand komen, bijvoorbeeld door een analoog videobestand te converteren of door een bestand te downloaden van het internet.

1 Vink het selectievakje **Menu activeren** aan.

2 Open vervolgens de keuzelijst **Layout** en kies **Titels**, **gecentreerd**. Als u later VCD's met meer dan een titel maakt, dan selecteert u hier natuurlijk een andere keuze.

3 Ga naar de keuzelijst **Achtergrondmodus** en kies **Scale and fit** in de lijst. Vaak is deze keuze al voor u gemaakt.

4 Ga dan naar de keuzelijst **Achtergrondafbeelding** en kies **Aangepast**. Selecteer een afbeelding die u wilt gebruiken in het venster **Bestand** en klik op **Toevoegen**.

> INFO
>
> Als u dat mooi vindt, dan kunt u ook de achtergrondkleur van de pagina wijzigen. Klik hiervoor op het kleurvlak achter de keuzelijst **Achtergrondafbeelding**.

5 Ga naar het vak **Tekst** en typ bij **Koptekst** de naam van de film. Verander eventueel het lettertype. Bij **Voettekst** geeft u relevante informatie in, zoals datum en tijd van de opname.

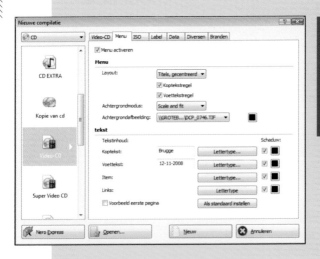

> TIP
>
> Typ zeker iets bij **Voettekst**, anders ziet u hier de tekst **Aangemaakt met Nero**.

6 Als u helemaal klaar bent, dan vinkt u het selectievakje **Voorbeeld eerste pagina onderaan** aan en bekijkt u het voorbeeldmenu.

Laat het voorbeeld open, maar minimaliseer het zodat u weer toegang krijgt tot het venster **Nieuwe compilatie**. Breng eventuele wijzigingen aan aan het lettertype of verwijder de schaduw. Als u helemaal tevreden bent, dan sluit u het voorbeeld af met het kruisje rechts bovenaan.

Klik vervolgens op het tabblad **ISO** om de ISO-standaarden in te stellen. U kiest ervoor om de cd zo universeel mogelijk te maken, tenzij u zeker weet voor welk besturingssysteem en voor welke versie van dat systeem u de cd maakt.

1 Kies **Alleen ISO 9660**. Na deze keuze zal Nero u niet meer toestaan om langere bestandsnamen in te vullen.

2 Kies als toegestane karakterset **Alleen ISO 9660**.

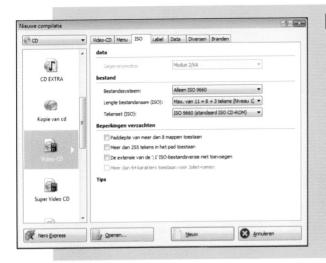

3 Vink alle selectie-
vakjes uit onder
**Beperkingen ver-
zachten**.

Gegevens opgeven

U kunt nu gegevens opgeven voor het label van de cd. Evenals bij een audio-cd
is dit wat u ziet als u de cd in een cd- of dvd-romstation plaatst. Als u later bestanden naar de compilatie sleept, dan ziet u deze naam boven het compilatievenster staan.

1 Klik op het tabblad **Label**.

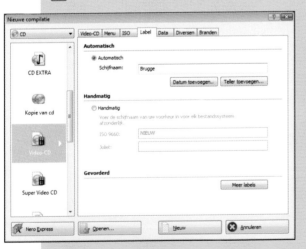

2 Controleer of het
keuzerondje **Auto-
matisch** is aange-
stipt en geef een
naam op voor de
VCD.

3 Geef eventueel ex-
tra informatie op,
bijvoorbeeld over
de maker van het
bestand.

4 Klik op **Nieuw** onderaan in het ven-
ster om een nieuwe
VCD te maken.

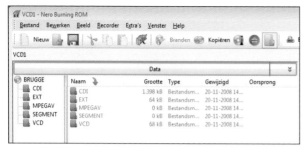

Voor u de bestanden toe-voegt, komen de verschil-lende onderdelen in het hoofdvenster aan bod. Nero 9 maakt een onderscheid tussen **Data** en **Video/Films**. U kunt beide lijsten openen. Omdat op dit moment uw cd enkel een menu bevat, maakt het niet uit welke lijst u uit-vouwt. Als u een lijst uitgevouwen hebt, dan ziet u verschillende soorten informatie.

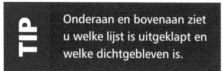

Onderaan en bovenaan ziet u welke lijst is uitgeklapt en welke dichtgebleven is.

Links bovenaan ziet u de naam die u eerder aan de cd gaf met daaronder een aantal termen:

- **CDI**: Dit bevat de Cd-i-applicatie van Philips die eerder al aan bod kwam. Als u deze map selecteert, dan ziet u de verschillende programmaonderdelen.

- **EXT**: Dit bevat aanvullende informatie over het afspelen op een Cd-i-speler. Het komt enkel voor op VCD's.

- **MPEGAV**: Hier worden later de MPEG-tracks weergegeven. De eerste track bevat enkel referenties naar gegevens in de volgende tracks.

- **SEGMENT**: Hier worden stilstaande beelden – bijvoorbeeld voor een diavoor-stelling – opgeslagen. Deze beelden worden eerst door Nero gecodeerd.

- **VCD**: Hier vindt u algemene informatie over de beschikbare tracks en over hoe ze worden afgespeeld.

Dit zijn de verschillende bestanden die volgens de ISO-standaard op de eerste track van een Video-CD aanwezig moeten zijn.

Videobestanden toevoegen

U voegt videobestanden aan de compilatie toe op dezelfde manier als u eerder geluidsbestanden aan een compilatie toevoegde. Onderaan in het hoofdvenster van Nero is nu ruimte voor het toevoegen van bestanden.

[1] Navigeer naar de map die de bestanden bevat die u wilt branden.

2 Sleep de bestanden die u op cd wilt branden naar het linkerdeel van het venster en plaats ze onderin. Nero analyseert vervolgens de bestanden.

3 Voeg ook een tweede bestand toe.

4 Bekijk de bestanden.

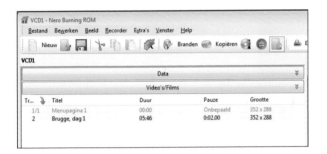

Als u goed naar het venster hebt gekeken, dan zijn er u waarschijnlijk een aantal dingen opgevallen. Zo ziet u in de kolom **Grootte** dat de twee bestanden geschikt zijn voor een beeldformaat van 352 x 288 pixels. Dit is exact het halve beeldformaat van een televisiescherm, wat overeenkomt met de standaard voor MPEG-1. Verder hebt u gezien dat de menupagina schermvullend is. Tussen de menupagina en de videotracks is de pauze onbepaald. Dit verhelpt u in het volgende deel.

De weergave verfijnen

Open het venster **MPEG-info** door te dubbelklikken op **Menupagina 1**. Hier brengt u enkele wijzigingen aan. U maakt ook een effect aan voor de titelpagina.

1 Klik in het venster **MPEG-Info** op het pijltje achter de keuzelijst **Pauze na track**.

2 Kies **Seconden** in de lijst en stel het aantal seconden pauze in op 10.

3 Klik daarna op **OK** om het venster af te sluiten.

Vervolgens kiest u de instellingen voor het bestand. Zo wijzigt u de titel van het fragment als u hier niet tevreden over bent en maakt u de pauze tussen de tracks langer.

1. Dubbelklik op het eerste MPEG-bestand.

2. Klik op het tabblad **Menu** en geef het fragment een definitieve naam.

3. Gebruik de schuifregelaar onder de afbeelding en selecteer een afbeelding die dienst doet als thumbnail.

   INFO Deze thumbnail ziet u onder meer op de menupagina van de cd of als het bestand wordt geladen.

4. Kies eventueel ook de instellingen voor een tweede fragment.

De compilatie branden of opslaan

Als u klikt op het pictogram **Brand de huidige compilatie**, dan kunt u de cd branden zoals u gewend bent. Komt u nu niet aan branden toe, dan kunt u de videolay-out opslaan.

1. Kies **Bestand / Opslaan als**.

2. Selecteer in het dialoogvenster **Opslaan** de plek waar u de videolayout wilt opslaan en geef de lay-out een naam.

3. Kies in de keuzelijst **Opslaan als** voor **Video-CD compilatie (*,nrv)**.

4. Klik op **Opslaan**.

De videolay-out wordt opgeslagen en krijgt als extensie **.nrv**. Na het opslaan is de naam bovenaan in het venster zichtbaar. In de lijst **Type** ziet u dat het om een Video-CD gaat.

Super Video-CD's maken

Super Video-CD's zijn een uitbreiding op VCD's. U maakt hierbij gebruik van de MPEG-2-indeling, en bovendien moeten de bestanden worden gecodeerd. Hiervoor gebruikt u de plug-in **DVD-Video**, die meegeleverd wordt bij de verkoopversie en de webversie van Nero 9. Beschikt u over een andere versie, dan kunt u de plug-in aanschaffen op http://www.nero.com.

De kwaliteit van SVCD's

Net als bij VCD's werkt u voor het aanmaken met het venster **Nieuwe compilatie**. Hier kiest u voor **SVCD**, wat een aantal extra mogelijkheden oplevert. Hoewel SVCD een betere kwaliteit heeft dan VCD, moet u met een paar zaken rekening houden:

- De kwaliteit van de SVCD hangt af van de kwaliteit van het bronmateriaal. Is dat een gedigitaliseerde video, dan zal het branden op SVCD de kwaliteit niet ten goede komen. U kunt het resultaat in dat geval net zo goed als VCD branden.

- Iets dergelijks geldt ook voor het branden van avi- of MPEG-1-bestanden. Om de bestanden geschikt te maken voor de MPEG-2-indeling, moet u de hoeveelheid pixels verdubbelen. Dit wordt gerealiseerd door extrapolatie: er wordt een aantal pixels aangemaakt, gebaseerd op de huidige kleuren. Omdat het bronmateriaal hiervoor te weinig kleurinformatie bevat, levert dit geen goed resultaat op. Bovendien wordt het bestand groter dan het oorspronkelijke avi-bestand.

TIP

Als u toch avi-bestanden op uw televisie wilt bekijken, dan koopt u het beste een DivX-speler.

• Een SVCD branden duurt langer dan het branden van een VCD.

• SVCD is lang niet compatibel met alle dvd-spelers.

Houd deze zaken steeds in het achterhoofd als u overweegt om een SVCD te branden.

Een Super Video-CD compileren

In dit voorbeeld maakt u een SVCD aan. U staat vooral stil bij de extra instellingen die u bij deze standaard kunt kiezen. Volg hiervoor dit stappenplan:

1 Klik in het venster **Nieuwe compilatie** op het tabblad **Video-CD**.

2 Controleer of het selectievakje **Standaard bruikbare cd aanmaken** is ingeschakeld.

INFO

Als u echt vertrouwd bent met het maken van SVCD's, dan kunt u kiezen voor **Door gebruiker bepaald** en zelf een snelheid opgeven.

Zo zorgt u ervoor dat de cd compatibel is met alle dvd-spelers die met SVCD overweg kunnen.

3 Controleer of het keuzerondje **PAL** is aangestipt en laat onder **Bitsnelheid bij coderen** het keuzerondje **Probeer grootte aan te passen** aangestipt.

4 Klik in het onderdeel **Gevorderd** op **Compatibiliteit** en controleer of de keuzerondjes **MPEG2 (standaard)** en **ENTRYVCD (standaard)** zijn aangestipt. Ook hiermee zorgt u voor meer compatibiliteit voor uw SVCD.

5 Klik daarna op **OK** om het venster **Opties compatibiliteit Super Video CD** te sluiten.

6 Kies eventueel verdere instellingen en klik daarna op **Nieuw**.

U opent weer het compilatievenster. Als u op **Video/Film** klikt, dan ziet u bovenin opnieuw de bestanden en mappen die vereist zijn. Zoals u ziet, komen ze sterk overeen met die bij de Video-CD. Er zijn twee verschillen:

- In plaats van **MPEGAV** ziet u **MPEG2**. Hier worden later de videotracks weergegeven.

- In plaats van **VCD** ziet u **SVCD**. Hier wordt – net zoals bij een VCD – informatie weergegeven over de tracks en hoe ze worden afgespeeld.

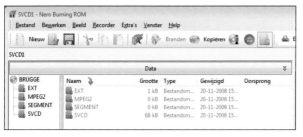

U kunt nu bestanden toevoegen aan de compilatie zoals u dat eerder deed bij VCD's. Als het bestand af is, dan kunt u het testen in een stand-alone dvd-speler. Als het niet lukt om de SVCD af te spelen, dan probeert u andere instellingen voor compatibiliteit, een andere schijf of een andere speler. Vaak kunnen goedkope dvd-spelers met een minder exacte laser toch met de meeste bestanden overweg.

Besluit

In dit hoofdstuk maakte u verschillende soorten cd's aan. We begonnen met data- en mulitsessie-cd's. Later maakte u ook VCD's en SVCD's aan. U kreeg ook informatie over het verschil tussen beide werkwijzen. Bovendien las u wanneer u het beste een bepaalde cd-soort gebruikt.

In het volgende hoofdstuk gaat u in op het maken van dvd's. Daarbij maakt u onder meer kennis met Nero Vision.

Dvd's maken 5

In dit hoofdstuk houdt u zich bezig met het maken van dvd's. Hieronder verstaan we het branden van een bestand in dvd-formaat op een dvd, inclusief typische dvd-mogelijkheden zoals een menu. Het gaat dus niet zomaar over het branden van gegevens op een dvd, zoals u hiervoor op een cd gedaan hebt. Eerst codeert u een bestand, bijvoorbeeld bij het opnemen van analoge video. Daarna bewerkt u de video en maakt u een menu. Uiteindelijk brandt u het bestand op de harde schijf of op een dvd. Dit hangt een beetje af van wat u uiteindelijk met het bestand wilt doen.

Voor bijna al deze zaken maakt u gebruik van Nero Vision. In Nero Vision kunt u ook een DVD-Video (VR) maken. Dat is strikt genomen geen dvd, maar een formaat waarbij u op een dvd+rw bestanden kunt opnemen en bewerken. In dit hoofdstuk staat u ook stil bij het back-uppen van dvd's in Nero Recode. De nieuwe versie van dit programma kan zelfs overweg met dvd's die een dubbele laag bevatten. Aan het einde van dit hoofdstuk maakt u kennis met het branden van dvd's in Nero Burning ROM.

Een dvd-video maken met Nero Vision

Een dvd-video kunt u het beste zien als een SVCD met meer mogelijkheden. Bovendien kunt u een dvd-video afspelen in een dvd-speler en kunt u deze bedienen zoals een dvd. U maakt een dvd-video heel gemakkelijk met Nero Vision. Volg hiervoor dit stappenplan:

INFO

Omdat het hier vooral de bedoeling is u vertrouwd te maken met het toevoegen van bestanden aan een dvd, maakt u in dit eerste voorbeeld geen aanvullende instellingen.

1. Open Nero Start-Smart en klik op **Nero Vision**.

2. Klik in Nero Vision op **DVD maken** en kies **DVD-Video** in het vervolgmenu.

3. Klik vervolgens in het venster **Inhoud** op **Importeren** en klik daarna op **Bestanden importeren** en kies **Bestanden importeren**.

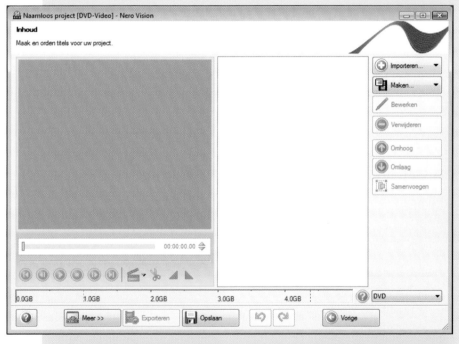

TIP

U kunt ook een bestand importeren vanaf een schijf. Hiervoor klikt u op **Schijf importeren** en selecteert u het dvd-rom-station in het vervolgmenu.

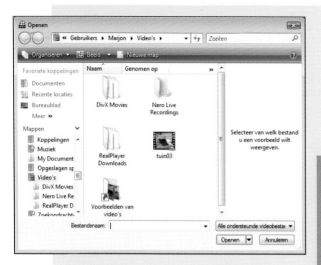

4 Selecteer in het venster **Openen** de bestanden die u op dvd wilt zetten en klik op **Openen**. De bestanden worden toegevoegd aan Vision Express.

INFO

Zorg ervoor dat de bestanden niet te groot zijn, want anders bent u erg lang aan het coderen.

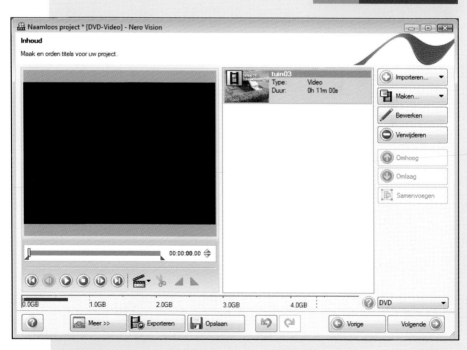

5 Bekijk het venster en klik daarna op **Volgende**. Zoals u ziet, kiest Nero Vision zelf een menu. Houd deze instellingen; u kunt ze later nog wijzigen.

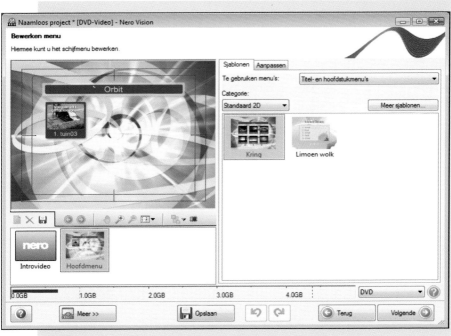

6 Klik op de knop **Volgende** en bekijk de voorproef.

7 Als u weer op **Volgende** klikt, dan komt u in het venster **Brandop-ties**.

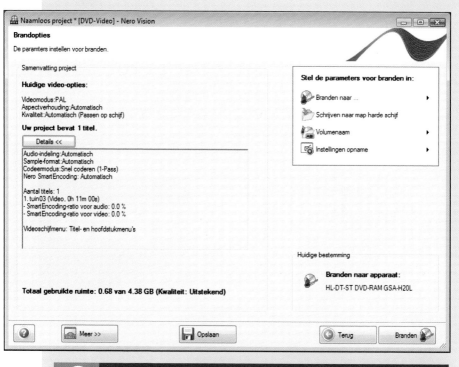

> **INFO**
> Als de termen in het venster **Brandopties** u niet direct iets zeg-gen, dan hoeft u zeker niet te panikeren. Later in deze Snelgids krijgt u nog een duidelijke uitleg van al deze begrippen.

In principe zou u nu de dvd kunnen branden. Omdat u een heleboel instellingen niet gemaakt hebt, zou dit echter zonde zijn. Daarom slaat u het project op. Volg hiervoor deze stappen:

1 Kies **Schrijven naar map harde schijf** in het venster **Stel de pa-rameters voor branden in**.

2 Klik op **Nieuwe map maken** in het venster **Een plaats voor het project selecteren**.

3 Klik in het venster op de plek waar u de nieuwe map wilt maken. In dit voorbeeld is dat de map **Sg Nero 9**.

4 Klik vervolgens op **OK**.

5 Klik dan op **Schrijven** rechts onderin het venster en bekijk de voortgang van het project.

6 Klik op **Nee** als Nero meldt dat het brandproces is geslaagd en vraagt of u het logbestand wilt behouden.

U komt nu in een nieuw venster. Klik op **Afsluiten** om dit te sluiten. Sla het project niet op. U keert terug in Nero StartSmart. In Nero 9 kunt u net als in de vorige versies bestanden direct opnemen en bewerken. U maakt dan gebruik van het formaat dvd-VR.

Werken met dvd-VR

Dvd-VR is geen dvd-soort, maar een methode om een dvd+rw te beschrijven. Dit kan op verschillende manieren. Wat dvd-VR bijzonder maakt, is dat u informatie kunt blijven toevoegen en deze ook op de schijf kunt bewerken. U kunt bijvoorbeeld een aflevering van een serie opnemen, via uw pc de reclameblokken verwijderen en daarna het volgende deel van de serie opnemen. Een dvd-VR maakt u net zoals een dvd-video. Volg deze stappen om tot een concreet resultaat te komen:

1 Plaats een dvd+rw in de brander.

2 Start Nero Vision en kies opnieuw **DVD maken**.

3 Selecteer **Bewerkbare DVD** in het snelmenu.

> **TIP**
>
> Als u bestanden van een schijf importeert, dan moet u ze eerst naar de harde schijf kopiëren. Dat gaat net zoals hiervoor beschreven is. Het kopiëren kan enige tijd in beslag nemen, zeker bij grote bestanden.

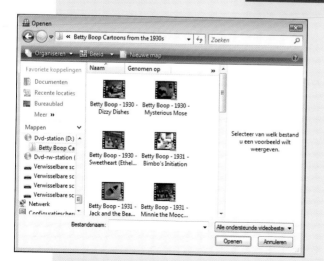

4 Klik in het venster **Inhoud** op **Importeren** en daarna op **Bestand importeren** of **Schijf importeren**.

5 Selecteer uw dvd-brander. Voeg een aantal videofragmenten toe aan uw project, zoals u dat hierboven gedaan hebt.

6 Klik op **Volgende** tot u in het venster **Brandopties** komt.

7 Klik op **Branden naar apparaat** en selecteer uw dvd-brander.

U ziet dat – net zoals in het vorige deel – de dvd+rw gebrand wordt.

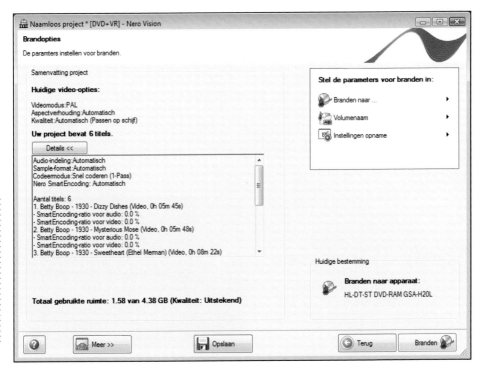

De voortgang wordt bijgehouden en u kunt het logbestand opslaan. In dit
voorbeeld kiest u er echter voor om dit niet te doen. Sluit daarna Nero Vision
helemaal af en sla het project niet op. U kunt nu bestanden toevoegen aan uw
dvd+rw.

1 Start Nero Vision opnieuw en kies weer voor **Bewerkbare DVD**.

2 Bekijk de titels op de dvd+rw. Zoals u ziet, hebben ze nu het VR-
logo.

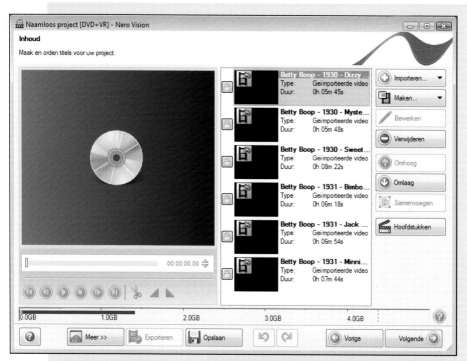

3 Klik op **Importeren** en kies weer een van de opties om nieuwe bestanden toe te voegen. Selecteer opnieuw een aantal videobestanden en brand ze op uw dvd+rw.

U kunt dit blijven doen tot uw schijf vol is.

Opgenomen materiaal bewerken met Nero Vision

Nadat u materiaal hebt opgenomen, kunt u het in Nero Vision op verschillende manieren bewerken. Zo kunt u een fragment van een eigen titel voorzien, fragmenten samenvoegen tot één geheel of bestanden voorzien van een menu.

Een titel aan een videofragment toevoegen

In dit stappenplan voegt u een titel toe aan een videofragment:

1 Klik met de rechtermuisknop op het eerste fragment en klik op **Naam wijzigen** in het snelmenu.

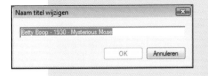

2 Geef het fragment een titel – bijvoorbeeld de naam van de film die u hebt opgenomen – en klik op **OK**.

3 Geef ook andere fragmenten een naam.

4 Klik op het pictogram **Hoofdstukken** aan de rechterkant van het venster.

U kunt nu onderdelen uitknippen en nieuwe hoofdstukken maken. Een snelle manier om dit te doen is het bestand afspelen en klikken op de knop **Titel splitsen**.

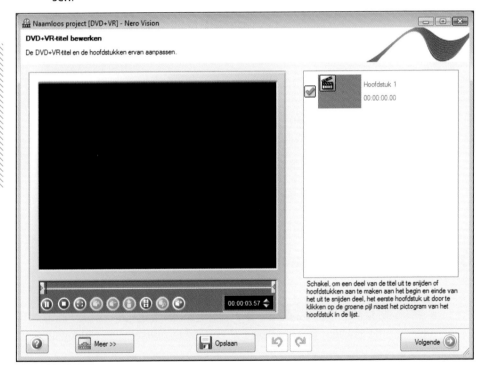

Vervolgens keert u terug naar het venster **Inhoud**; uw fragment is nu in twee gesplitst. U kunt altijd opnieuw op het pictogram **Hoofdstukken** klikken om nieuwe bewerkingen uit te voeren.

Uw opnames samenvoegen tot een film

Als u een echte film wilt maken van uw opnames, dan klikt u op **Maken** en kiest u **Film maken** in het vervolgkeuzemenu. In het volgende stappenplan brengt u wijzigingen in uw opgenomen films aan:

1 Sleep in het venster **Naamloos project** de film waaraan u een effect wilt toevoegen naar het Storyboard.

> **INFO**
> Nero zet uw project automatisch in de weergave **Tijdbalk**, want hier voegt u effecten toe.

2 Ga naar het venster **Onderdelenoverzicht** en klik op het tabblad **Video-effecten weergeven**. U komt nu in de weergave **Tijdbalk**.

3 Klik op **Filters** in de keuzelijst.

4 Sleep het effect **Horizontale spiegel** naar het onderdeel **Effecten** op de Tijdlijn.

5 Bekijk het resultaat in het voorbeeldvenster en breng eventueel wijzigingen en effecten aan.

6 Klik op de knop **Volgende** als u tevreden bent. U keert terug in het venster **Inhoud**.

U bent nu klaar om het menu te maken.

Een menu toevoegen

Om een menu toe te voegen, klikt u in het venster **Inhoud** op de knop **Volgende**. U komt nu in het venster **Bewerken menu**. U las eerder al dat Nero standaard een menu kiest. Als u zelf aan de slag gaat, dan kunt u in de keuzelijst **Menu-sjablonen** een menu kiezen. Dit gaat net zoals een effect kiezen.

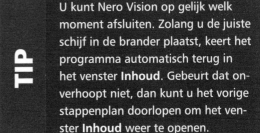

U kunt Nero Vision op gelijk welk moment afsluiten. Zolang u de juiste schijf in de brander plaatst, keert het programma automatisch terug in het venster **Inhoud**. Gebeurt dat onverhoopt niet, dan kunt u het vorige stappenplan doorlopen om het venster **Inhoud** weer te openen.

1 Ga naar de keuzelijst **Te gebruiken menu's** en kies welk menu u wilt maken. In dit voorbeeld werd gekozen voor **Alleen titelmenu's**.

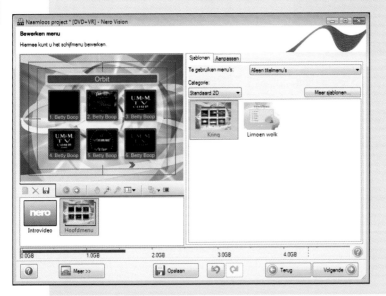

2 Ga naar de keuzelijst **Categorie** en selecteer het menu dat u wilt gebruiken. In dit voorbeeld werd gekozen voor **Smart 3D** en het menu **Kubus**.

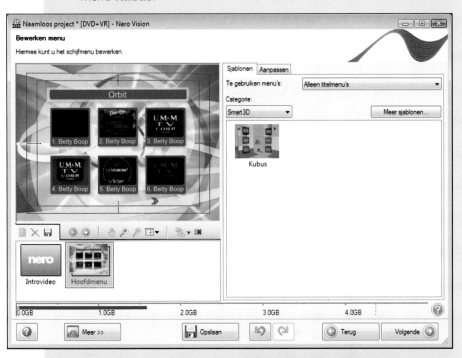

3 Klik op de sjabloon **Kubus** om een voorbeeld te zien. Als dit u niet bevalt, dan klikt u op de knop **Meer sjablonen** en kiest u een andere sjabloon.

4 Klik op **Volgende** om het menu te testen.

> **INFO**
>
> Als u vertrouwd bent met Nero 9 of zelfs met een oudere versie van het programma, dan kunt u op het tabblad **Aanpassen** klikken en de instellingen voor de sjabloon wijzigen.

5 Klik in het venster **Voorproef** op een van de knoppen van de afstandsbediening om door het venster te navigeren. U kunt er ook voor kiezen om een van de onderdelen aan te klikken.

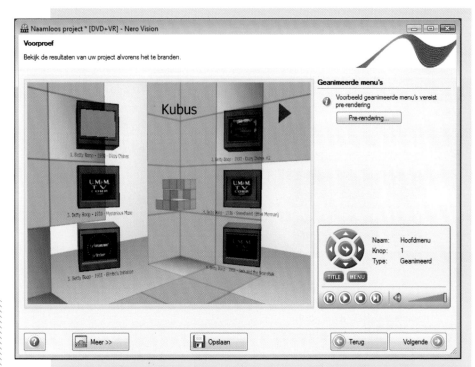

6 Klik op **Terug** als u wijzigingen wilt aanbrengen. Klik op **Meer** en vervolgens op **Video-opties** en kies het tabblad **DVD+VR**.

TIP

Als u een menu met animaties gebruikt, dan moet u dit eerst renderen. Hierbij wordt een digitale afbeelding gegenereerd uit een driedimensionaal model. Als u vertrouwd bent met Nero 9 of een eerdere versie van het programma, dan kunt u op het tabblad **Aanpassen** klikken en de instellingen voor de sjabloon wijzigen.

Hiermee opent u een venster met instellingen die belangrijk zijn voor de weergave op een televisiescherm:

• Bij **Aspectverhoud** kiest u tussen normale weergave (**4:3**) of breedbeeld-weergave (**16:9**).

• In de keuzelijst **Instellingen kwaliteit** kiest u welke kwaliteit het opgenomen materiaal moet hebben. Bij een hoge kwaliteit passen er weinig gegevens op een dvd, bij een lage kwaliteit meer. Bij elke gekozen kwaliteit hoort een bitrate. Hierbij wordt vastgesteld hoe snel de informatie wordt gecodeerd. Dit is van invloed op de kwaliteit van de film. In dit voorbeeld kiest u ervoor om de kwaliteit in te stellen op **Standard Play**.

- U kunt ook vastleggen hoe het geluid wordt gecodeerd; in stereo of in dolby digital. Dolby digital is mooier, maar het neemt meer ruimte in en duurt langer om te coderen. Kies hier dus enkel voor als u er zeker van bent dat het geluid ook in dolby digital weergegeven kan worden.

Klik op **OK** en vervolgens op **Ja** als u wilt dat de nieuwe instellingen standaardinstellingen worden. U keert weer naar het venster **Voorproef**. Als u op **Volgende** klikt, dan kunt u opnieuw instellingen maken voor het branden. Als u deze instellingen als nieuwe standaard wilt gebruiken, dan klikt u op de knop **Ja** in het venster **Nero Vision**.

AVCHD

AVCHD (Advanced Video codec High Definition) is een nieuwe indeling voor HD-opnamen op dvd, opslagkaart of harde schijf. Deze indeling met een hoge resolutie wordt voornamelijk gebruikt door alle huidige cameratypes. Het videomateriaal wordt met de codec MPEG-4 AVC/H.264 gecomprimeerd. Voor het geluid via NTSC of PAL wordt gebruikgemaakt van Lineair-PCM. Deze codecgegevens zijn op zich niet zo belangrijk voor u. Het is wel handig om te onthouden dat door Lineair-PCM er een goede synchronisatie met het videosignaal kan worden gerealiseerd, waardoor bijvoorbeeld het geluid niet achter het beeld aanloopt. Bovendien is MPEG-4 tegenwoordig de universele standaard voor allerlei soorten apparaten, zoals mobiele telefoons, PDA's, enzovoort.

In Nero Vision kunt u AVCHD gebruiken voor gewone dvd's en voor dvd-9. Dit zijn dvd's – met speelfilms – die een dubbele laag bevatten. AVCHD is een van de mogelijkheden om ze om te zetten naar een dvd met een enkele laag (dvd-5). In het volgende stappenplan importeert u AVCHD. Dit importeren kan gebeuren vanaf uw harde schijf, vanuit uw cd- of dvd-romstation of vanuit uw cd- of dvd-brander.

1. Start Nero Vision en kies weer **DVD maken**.

2. Vervolgens kiest u **AVCHD**.

3. Plaats een onbeveiligde schijf in uw dvd-romstation.

4. Klik in het venster **Inhoud** op **Importeren**. Kies **AVCHD importeren vanaf schijf** in de keuzelijst en selecteer uw dvd-romstation.

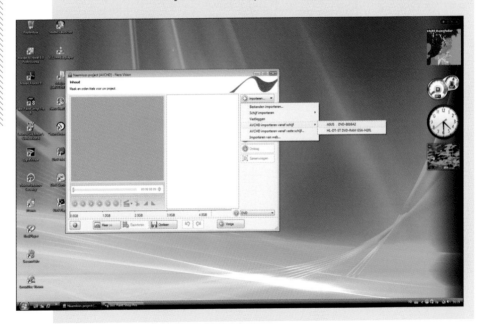

Nero Vision importeert nu de schijf. Dit kan even duren. Na het importeren beschikt u over een bestand dat u bijvoorbeeld op uw iPod kunt zetten.

Een dvd back-uppen

Met Nero Recode kunt u onbeveiligde dvd's back-uppen. Afhankelijk van het formaat van de dvd die u gebruikt, kunt u alle informatie kwijt. In andere gevallen moet u informatie verwijderen. Overigens is dat geen probleem, want de meeste dvd's bevatten overtollige informatie. In dat geval kunt u zelf kiezen welke informatie u behoudt en wat u weggooit. In het volgende stappenplan coderen we een dvd met Nero Recode.

1. Open Nero StartSmart en selecteer **Nero Recode**.

2. Klik vervolgens op **Een gehele dvd hercoderen naar dvd**.

3. Plaats de te kopiëren dvd in het dvd-romstation.

4. Controleer of het selectievakje **Aan doel aanpassen** is aangevinkt. Zo zorgt u ervoor dat de speelfilm op de huidige dvd past. Dit gaat echter vaak ten koste van de kwaliteit van de film.

5. Klik op **Dvd importeren** aan de rechterkant van het venster.

6. Selecteer vervolgens uw dvd-romstation in het venster **Map selecteren**.

7 Selecteer daarna de map **Video_TS** en klik op **OK**. Nero Recode analyseert nu eerst de bestanden en importeert daarna de dvd.

> **TIP** Als u dat wilt, dan kunt u exact opgeven hoe groot uw schijf is, bijvoorbeeld Dvd-9 [8.5 GB].

Als u na de import het venster goed bekijkt, dan vallen u waarschijnlijk een aantal dingen op. Zo zijn er verschillende soorten onderdelen aanwezig op de dvd. Naast de hoofdfilm treft u ook extra's en menu's aan. Verder zal het u opvallen dat soms niet alle bestanden op 100% staan. Dat is het gevolg van de keuze **Aan doel aanpassen**. Hierdoor comprimeert Nero Recode onderdelen die buiten de hoofdfilm vallen.

Onderaan in het venster kunt u zien of uw materiaal nog op de dvd past. Is dat niet het geval, dan kunt u onderdelen uitschakelen. Volg hiervoor deze stappen:

1 Klik op het plusje voor **Extra's** en selecteer de titel die u niet wilt behouden.

2 Ga naar het tabblad **Ondertitel** en selecteer alle overbodige ondertitels.

3 Klik vervolgens op **Uitschakelen**.

Elke verwijdering laat een leegte achter op de dvd, waardoor deze kan haperen. Om dit tegen te gaan, vervangt u de gewiste ondertiteling door een kleur of een aangepast beeld. Dat doet u in het venster **Onderdeel deactiveren**. Nero Recode start dit venster automatisch wanneer u ervoor kiest om een onderdeel te wissen. Maak een keuze in de lijst en klik op **OK**.

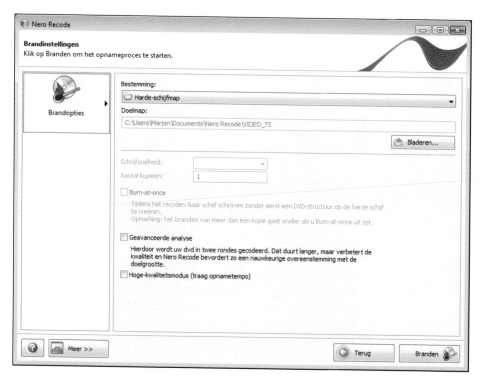

INFO

Bekijk ook welke menu's u kunt verwijderen. U kunt er bijvoorbeeld voor kiezen om de menu's in één taal te houden, en de menu's in andere talen te verwijderen.

Klik op **Volgende** en kies in het venster **Brandinstellingen** instellingen voor het branden. U kunt het resultaat op een dvd wegschrijven of op de harde schijf. In dit geval kiest u voor het laatste.

Als u na het coderen klikt op **Volgende**, dan komt u weer in het venster **Wat wilt u doen?**. Klik hier op de knop **Sluiten**.

Dvd's branden in Nero Burning ROM

Nu u de dvd hebt gekopieerd, kunt u deze branden in Nero Burning ROM.

1 Open Nero Burning ROM en kies voor het maken van een dvd.

2 Kies in het venster **Nieuwe compilatie** eventueel aanvullende instellingen en klik op **Nieuw** in de rechterkant van het venster.

TIP
Als u een algemene foutboodschap krijgt dat deze bestanden niet geschikt zijn voor dvd, dan beschikt u waarschijnlijk niet over de decodeersoftware van Nero. U kunt deze downloaden op http://www.nero.com. Deze codec is niet gratis.

3 Selecteer het dvd-bestand dat u kopieerde naar de vaste schijf en sleep dit naar het compilatievenster. Gebruik anders een MPEG-2-bestand of een avi-bestand.

4 Klik op **Het videobestand opnieuw coderen**.

Het bestand wordt gecodeerd en daarna toegevoegd aan de dvd.

De invoegtoepassing Blu-ray

In Nero kunt u bestanden ook branden als Blu-ray. Bij deze technologie wordt gebruikgemaakt van een blauwe laser die nauwkeuriger is dan een klassieke, rode laser. Hierdoor past er meer informatie op een schijf. Om gebruik te maken van Blu-ray moet uw systeem beschikken over een Blu-raybrander. Verder hebt u Blu-rayschijfjes nodig.

Als laatste moet u gebruikmaken van de invoegtoepassing **Blu-ray**. U kunt deze tegen betaling downloaden op de website van Nero. De insteekmodule wordt automatisch toegevoegd aan de Nero-suite. Daarna kunt u alle onderdelen op dezelfde manier gebruiken als u nu doet. Tot u beschikt over een Blu-raybrander, kunt u in Nero Burning ROM een image op uw harde schijf plaatsen die is voorbereid op de Blu-raytechnologie.

1. Klik op het menu **Bestand** en kies **Opties**.

2. Klik op het tabblad **Expertfuncties**.

3. Vink het vakje **Alle ondersteunende recorder-formats inschakelen voor image-recorder** aan en klik op **OK**.

4. Maak een nieuwe compilatie en kies voor **Blu-ray**.

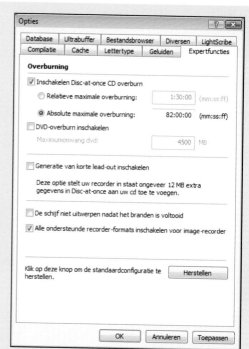

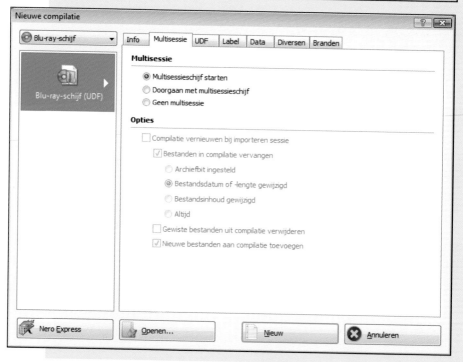

Nero maakt nu een UDF-bestand aan. U gaat nu te werk zoals u inmiddels gewend bent. Sla de compilatie op op uw harde schijf. U kunt het resultaat dan branden zodra u beschikt over een Blu-raybrander.

Besluit

U las in dit hoofdstuk hoe u dvd's kopieert en bestanden codeert. Verder zag u hoe u de bestanden op een eenvoudige manier bewerkt. Ook maakte u kennis met het branden van een dvd.

In het volgende hoofdstuk gaan we in op Nero CoverDesigner. Hiermee maakt u hoesjes en labels. Bovendien maakt u kennis met de mogelijkheid om cd- en dvd-schijfjes zelf te beschrijven.

Labels en hoesjes maken

In de vorige hoofdstukken maakte u verschillende soorten cd's en dvd's aan. U noteerde met een stift de naam van de film, de artiest of het album op de schijf. Dit werkt natuurlijk wel, maar het is mooier als u ook een label en een hoesje maakt voor uw cd of dvd. Er zijn allerlei manieren om aan materiaal voor dit hoesje te komen. Zo kunt u de hoes van de originele cd scannen of gebruikmaken van de cd-database van Gracenote. Hiernaast kunt u proberen of u covers kunt downloaden. Covermateriaal is altijd auteursrechterlijk beschermd, waardoor dezelfde beperkingen gelden als bij het kopiëren van cd's. U kunt met een programma als Photoshop ook altijd zelf covers ontwerpen voor uw eigen producties.

In dit hoofdstuk komen de verschillende mogelijkheden aan bod. U zult snel merken dat de werkwijze altijd dezelfde is. Voor u overgaat tot het maken van hoesjes en labels, verzamelt u alles wat u nodig hebt.

Inventariseren

Als u hoesjes en labels voor cd's en dvd's wilt maken, dan hebt u allerlei zaken nodig: afbeeldingen, een label om op de schijf te plakken, een doosje voor de cd of dvd, en een boekje of een inschuifformuliertje voor het doosje. Daarnaast hebt u natuurlijk ook een softwareprogramma nodig.

Papier en cd-doosjes koopt u online, of in een computerwinkel of boekhandel. Zorg voor u begint dat u over het volgende materiaal beschikt:

- Een pak met cd- of dvd-covers en inlegvelletjes.
- Een pak met cd-labels. Vaak zitten hier ook labels op om het binnenste deel van de dvd te dichten.
- Een zogeheten labeler die u gebruikt om het label zonder bubbels of blazen op de cd te plakken.

> **TIP**
>
> Sommige bedrijven, zoals Easy Computing, maken speciaal papier waardoor u het label netjes kunt plakken zonder labeler.

- Lege cd- of dvd-doosjes. Deze zijn nodig als u cd's of dvd's op spindels koopt. U hebt dan immers enkel een aantal lege cd's.
- Een printer om het label en de inlegvelletjes af te drukken.
- Een scanner of een digitale camera om afbeeldingen te maken.

Als u de aankoop van doosjes te duur vindt, dan kunt u ook zakjes kopen waarin u de cd schuift. Het maken van inlegvelletjes is in dat geval ook niet meer nodig.

Zorg er ook voor dat u genoeg ruimte op uw harde schijf hebt. U bent nu klaar om de cd-hoes te maken.

Het cd-hoesje maken

In dit deel maakt u de hoes voor uw schijf aan. Hiervoor gebruikt u Nero Cover-Designer. U krijgt hier een overzicht van de verschillende onderdelen: de cover, de tracklijst, de insteekkaart en het boekje.

1. Kies in Nero StartSmart nu voor Nero CoverDesigner.

2. Kies **Standaard** in het venster **Nieuw document**. Doorgaans is deze keuze al geselecteerd

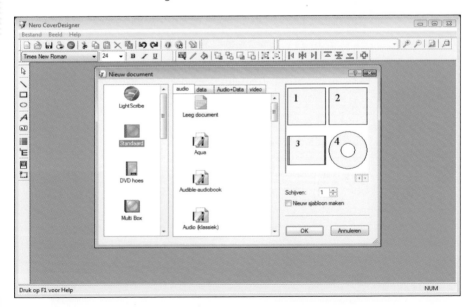

U ziet een nieuw venster met een aantal tabbladen:

- **Cd-boekje**: Dit is de voorkant van het boekje. Hier kunt u de cover van de cd plaatsen.
- **Cd-boekje (achterzijde)**: Dit is de achterkant van het boekje. Als u het cd-doosje opent, dan ziet u deze informatie aan de linkerkant. Hier kunt u extra informatie plaatsen, zoals foto's van de artiest.
- **Cd-Inlay**: Dit is de insteekkaart die u onderin het cd-doosje plaatst. Hier kunt u informatie kwijt over de verschillende tracks op de cd. De inlay vormt ook de achterkant van het cd-doosje.
- **Cd 1**: Dit is het label dat u op de cd plakt.

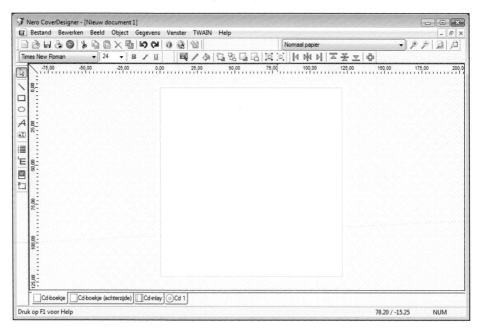

We starten met de voorkant van het boekje en gaan zo één voor één alle tabbladen af.

De voorkant van het boekje

U plaatst een afbeelding op de voorkant. Eerst selecteert u de afbeelding en daarna kiest u hoe de afbeelding in het kader wordt gepast. U hebt drie keuzes:

- **Aanpassen aan frameformaat**: Hierbij wordt de afbeelding zo uitgerekt of ingekrompen dat deze in het frame past. De oorspronkelijke verhoudingen worden hierbij niet gerespecteerd.

- **Proportioneel, geen knipsel**: Hierbij wordt de afbeelding binnen het kader gepast, met behoud van de originele verhoudingen. U loopt het risico dat het kader niet volledig wordt gevuld.

- **Proportioneel, knipselafbeelding**: Hierbij wordt het kader van de afbeelding volledig gevuld, maar zijn niet alle onderdelen zichtbaar.

1 Kies **Object / Eigenschappen achtergrond**. U komt automatisch op het tabblad **Image**.

2 Ga naar het vak **Bron afbeelding** en klik op **Bestand**.

3 Navigeer in het venster **Openen** naar het bestand dat u op de voorkant van de cd-hoes wilt plaatsen. Het maakt nu nog niet uit wat u kiest.

4 Klik daarna op **Openen**.

TIP

Als u een ingescande afbeelding wilt importeren, dan wacht u hiermee tot het hele boekje af is. Scans die u maakt om af te drukken hebben een hoog dpi-gehalte (bijvoorbeeld 300), wat leidt tot grote bestanden. Hierdoor wordt het lastig om door uw inlegvel te navigeren: het kost immers heel veel tijd om een beeld te verversen.

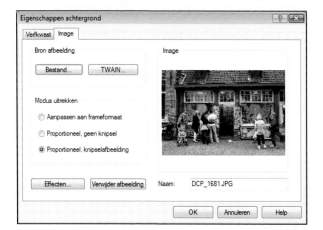

5 Vink in het vak **Modus uitrekken** het keuzerondje **Proportioneel, knipselafbeelding** aan en klik op **OK**.

Bekijk het resultaat in het hoofdvenster van Nero. Als u tevreden bent, dan kunt u verdergaan met het maken van instellingen.

De tracklijst

Nadat u een achtergrondafbeelding hebt gekozen, kunt u een lijst van alle tracks op de cd maken. U klikt hiervoor op het pictogram **Tracklijst** aan de linkerkant van het venster.

1 Ga naar de afbeelding, houd de linkermuisknop ingedrukt en sleep een tekstvak.

INFO

Dit hoeft niet heel nauwkeurig te zijn. Met de selectiegrepen aan de bovenkant en de zijkant kunt u het vak groter of kleiner maken.

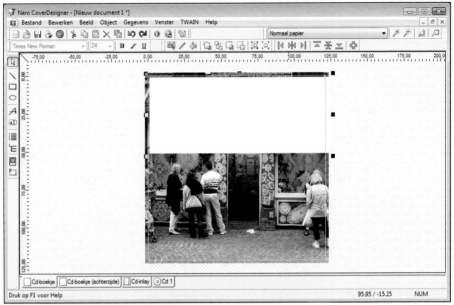

2 Houd de muis in de linkerbovenhoek tot u het pictogram **Bewerk de data van het geselecteerde object** ziet en klik op het pictogram. U opent het venster **Documentgegegevens**.

3 Klik op **Cd 1** in het linkerdeelvenster, en vul rechts in het tekstvak **Ondertitel** de naam van de cd in. In dit voorbeeld is dat **Brugge**.

4 Ga naar de keuzelijst **Type** en geef op welke informatie er op de cd staat. In dit voorbeeld wordt gekozen voor **audio**.

5 Selecteer nu telkens in het deelvenster **Document** een onderdeel en maak in het rechtervenster aanvullende instellingen. Zo kunt u bij audio-cd's de naam van de cd, de uitvoerende artiest en dergelijke opnemen. Bij video kunt u de videobestanden en bijbehorende gegevens toevoegen.

6 Klik op **OK** als u klaar bent met het toevoegen van bestanden.

U keert dan terug in het hoofdvenster en u ziet dat alle informatie die u eerder hebt opgegeven, is ingevuld.

De tekst aanpassen

U kunt deze gegevens op verschillende manieren veranderen en verschuiven. Zo kunt u tekstblokken groter en kleiner maken of het lettertype, de lettergrootte of de letterkleur aanpassen. U selecteert eerst het onderdeel dat u wilt wijzigen en brengt de veranderingen aan. In het volgende voorbeeld maakt u de nummering grijs:

1 Dubbelklik op de titel van een track om het venster **Eigenschappen** te openen.

> **TIP**
> U kunt ook klikken met de rechtermuisknop en kiezen voor **Eigenschappen** in het snelmenu.

2 Klik op het tabblad **Tracks**.

3 Selecteer in de keuzelijst **Kolom 1 Tracknummer** en klik op de knop met het huidige lettertype.

4 Bepaal vervolgens een aantal instellingen voor het lettertype in het scherm **Lettertype**. Kies als lettertype **Monotype Corsiva** en selecteer **Grijs** als kleur.

5 Klik op **OK** om het venster **Lettertype** te sluiten.

6 Selecteer op de tweede rij de naam van de artiest en maak deze kastanjebruin. U gaat hiervoor op dezelfde manier te werk als in de stappen 4 en 5.

7 Sluit het scherm **Eigenschappen** en bekijk het resultaat. Breng wijzigingen aan als dit u niet bevalt. Maak bijvoorbeeld het tekstvak kleiner.

U bent nu klaar met de voorkant van het boekje. Als u dat wilt, dan kunt u op dezelfde manier instellingen maken voor de achterkant. Klik hiervoor op het tabblad **Boekje (achter)**.

De zijkanten van de inlegkaart

U voegt nu tekst toe aan de zijkanten. In het volgende stappenplan raakt u vertrouwd met de verschillende functies en menu's om tekst in te voegen:

1 Klik op het tabblad **Cd-inlay**.

2 Kies **Object / Invoegen tekstvak** en trek een smal tekstvak. Typ een tekst in het venster **Eigenschappen**. U kunt hier bijvoorbeeld de titel van de cd ingeven.

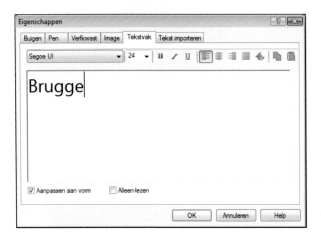

3 Breng in dit venster desgewenst wijzigingen aan voor lettertype, letterkleur en dergelijke.

4 Vink het selectievakje **Aanpassen aan vorm** aan.

5 Maak nu het tekstvak smaller of breder en sleep het naar de zijkant van de inlegkaart. Dupliceer eventueel het vak voor de andere zijkant en bekijk het resultaat.

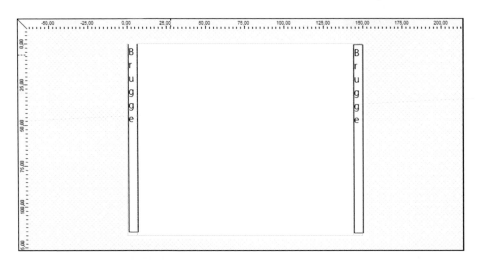

U kunt uiteraard zaken blijven wijzigen. Zo kunt u nog een afbeelding invoegen of de tekstopmaak veranderen. U gaat dan net zo te werk als bij de voorkant van het boekje. Als u helemaal klaar bent, dan drukt u de inlay af.

Het resultaat afdrukken

U kunt nu de inlegkaart en het boekje afdrukken. Plaats het speciale papier met de inlegkaart en het voorvel
in de printer. Let hierbij goed op: het
papier moet bij sommige printers
ondersteboven liggen. Als uw sjabloon met de inlegkaart begint (zoals in het voorbeeld), dan legt u deze
kant naar voren. De pijlen geven de
juiste richting aan.

INFO

U kunt voor het onder-
staande stappenplan ook
gebruikmaken van gewoon
papier om een proefafdruk
te maken. Zo kunt u het
afdrukken uittesten zonder
het speciale papier te ver-
spillen.

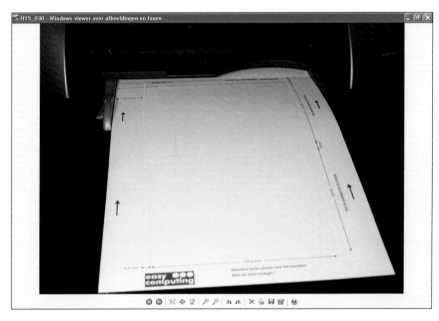

1. Kies **Bestand** / **Afdrukken**.

2. Klik in het venster **Afdrukken** op het tabblad **Elementen**.

3. Vink het selectievakje **Cd
   1** uit, want u wilt nu geen
   label afdrukken.

4. Druk de hoes af.

TIP

Omdat het om een kleu-
renafdruk van een groot
bestand gaat, kan dit
veel tijd kosten. Gebruik
ondertussen geen andere
toepassingen, ze vertra-
gen het proces of kunnen
ervoor zorgen dat de pc
vastloopt.

5 Haal de afdruk uit de printer en laat deze goed drogen.

6 Vouw het karton op de perforatierand en druk de inlegkaart en de kaart voor de voorkant uit.

De afdruk in het doosje plaatsen

U kunt het cd-doosje nu uit elkaar halen en de informatie van de fabrikant vervangen door uw eigen informatie. Voor cd's worden doorgaans 'jewel cases' gebruikt. Het zijn de bekende doosjes van hard plastic waar uw cd in wordt geleverd.

1 Open het doosje en bekijk het aandachtig.

2 Meestal vindt u een witte of zwarte plastic houder waarin de cd zit. Zet een nagel onder de cd-houder aan de rugkant van het doosje en verwijder de houder.

3 Haal de inlegkaart met de gegevens van de fabrikant uit het doosje.

4 Buig de geperforeerde randjes van de inlegkaart omhoog en plaats deze aan de achterkant van het doosje.

5 Klik de cd-houder weer op zijn plaats.

6 Verwijder het inlegvel aan de voorkant en vervang dit ook door uw eigen product.

> **INFO**
> Een dvd-hoes maakt u in principe net zoals een cd-hoes, alleen selecteert u de sjabloon **dvd-hoes**.

Nu u de hoesjes hebt gemaakt, houdt u zich bezig met de cd zelf. In het volgende onderdeel maakt u labels en brengt u deze aan.

Cd-labels maken en aanbrengen

Een programma voor cd-hoesjes kunt u ook gebruiken voor het maken van cd-labels. Volg hiervoor deze stappen:

1 Klik in Nero CoverDesigner op het tabblad **Cd 1**. U ziet de sjabloon voor het cd-label.

> **INFO** Vaak vindt u bij het papier voor labels een 'callibration sheet', waarmee u zeker weet dat uw labels op de juiste manier afgedrukt worden. Sommige pakketten bieden bovendien een in het papier geïntegreerd hulpstuk voor het aanbrengen van labels. Zo is het gebruik van een aparte labeler overbodig.

2 Voeg een afbeelding in en sla het label op. Dat doet u net zoals bij het cd-boekje.

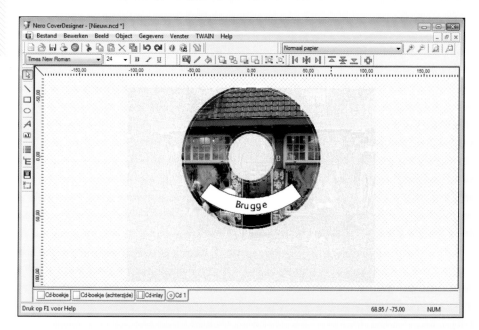

3 Zoek in Nero naar het juiste papier via **Bestand** / **Papiersoorten**.

4 Druk vervolgens het resultaat af op speciaal labelpapier.

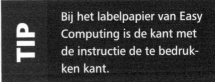

U kunt nu het label op de cd aanbrengen. Vaak vindt u op het labelpapier een speciaal inleghulpstuk.

1 Maak het label los van het stickervel.

2 Plooi en verwijder de strook naast de verticale perforatie.

3 Verwijder het label van het papier van links naar rechts.

4 Open de cd-doos en plaats het inleghulpstuk tegen de zijkant van de doos. Kleef de linkerkant van het label op de cd.

5 Verwijder het inleghulpstuk en kleef de rest van het cd-label op de cd.

U bent nu klaar met uw cd. Plaats deze vervolgens in het doosje.

In het volgende deel gaat u in op een andere manier om een cd te beschrijven. U kunt immers gebruikmaken van een LightScribe-label.

INFO Bij een dvd-label kunt u licht anders te werk gaan: als de sjabloon het toestaat, dan kunt u ook het plastic ° deel in het midden van een afbeelding voorzien. De voorwaarde hiervoor is dat het dan gaat om een officiële dvd-afbeelding die inderdaad tot het midden doorloopt.

Een LightScribe-label maken

In het geval van LightScribe brengt u geen label aan op uw cd, maar beschrijft u het schijfje direct.

Controleer eerst of uw brander met LightScribe overweg kan en of u beschikt over speciale LightScribe-cd's. Als dit niet het geval is, dan moet u labels aanmaken zoals dit in het vorige deel beschreven is. Als uw brander deze technologie wel ondersteunt, dan volgt u dit stappenplan:

1 Kies **Bestand / Nieuw** en klik in het venster **Nieuw document** op **LightScribe**.

2 Klik vervolgens op **OK** en bewerk het LightScribe-label. U kunt hierbij net zo te werk gaan als bij het bewerken van een gewoon cd-label.

TIP

Wees voorzichtig met het gebruik van afbeeldingen. LightScribe werkt het beste als u enkel tekst gebruikt.

3 Klik in de werkbalk op het pictogram van LightScribe.

4 Stel in het venster **LightScribe afdrukeigenschappen** uw gewenste afdrukopties in.

5 Plaats vervolgens een lege LightScribe-schijf in de brander, met de labelzijde omlaag en klik op de knop **Afdrukken**.

Het afdrukken begint en u kunt de voortgang van het proces volgen in de statusbalk. Als het afdrukken gereed is, dan ziet u het dialoogvenster **Nero-LightScribe** waarin de resultaten van het afdrukproces worden weergegeven.

Besluit

In dit hoofdstuk maakte u een hoes met boekje voor uw cd's of dvd's. U voorzag deze onderdelen van informatie over de cd-inhoud. Bovendien las u hoe u de verschillende onderdelen in een jewel case plaatste. In het tweede deel van dit hoofdstuk drukte u de gegevens ook af op cd- en dvd-labels. U maakte hierbij ook kennis met de LightScribe-technologie die deze gegevens rechtstreeks op de cd brandt.

In het volgende hoofdstuk gaat u in op het maken van back-ups.

Back-ups maken 7

Cd's en dvd's zijn ook heel geschikt voor het maken van back-ups. Bij een back-up zet u alle belangrijke gegevens op een extern medium, zoals een externe harde schijf of eventueel een dvd. Een back-up maken is iets wat u het beste regelmatig doet. Het kan immers steeds dat uw pc vastloopt, getroffen wordt door een virus of dat er iets anders misgaat. Soms is het voldoende de beschadigde bestanden door hun oorspronkelijke versie te vervangen, maar het kan ook dat u de pc moet formatteren en al uw materiaal moet terugzetten.

Nero 9 bevat een eigen back-upprogramma, Nero BackItUp 4, dat niet alleen een back-up maakt van bestanden, maar ze ook terugzet. Bovendien plant het programma ook zelf nieuwe back-ups. Als u de pc moet formatteren, dan zorgt BackItUp ervoor dat u een opstart-cd maakt. Daarna installeert u uw programma's opnieuw en zet u de bestanden terug.

Over back-ups

Pc's zijn niet onfeilbaar. Ze kunnen in de war raken, overbelast worden of leiden onder stroomstoringen. Als u geen back-ups maakt, dan bent u al uw informatie kwijt. Het maken van een back-up is misschien tijdrovend, maar het levert u later veel voordeel op. Bovendien kunt u met een goed back-upprogramma uw back-ups plannen en deze bijvoorbeeld 's nachts laten uitvoeren.

Een voorbeeld van een dergelijk programma is BackItUp 4. Het wordt geleverd bij Nero 9. In dit hoofdstuk staat deze module centraal. Eerst moet u het onderdeel installeren.

Nero BackItUp 4 installeren

Nero BackItUp 4 wordt niet automatisch geïnstalleerd bij de installatie van Nero 9. Daarom moet u, als u back-ups wilt maken, het programma installeren. Hiervoor hebt u de originele dvd nodig.

Bovendien moet u voor de installatie van BackItUp 4 beschikken over een apart serienummer. Zorg dus dat u dit tijdens de installatie bij de hand hebt. Verder verloopt de installatie eenvoudig.

1   Plaats de dvd van Nero 9 in het dvd-romstation.

2   Klik op **Nero BackItUp 4**. De installatie start vanzelf en een wizard begeleidt u door het proces. Vul het serienummer in als u daarom wordt gevraagd.

TIP
Als u tijdens de installatie ergens vast komt te zitten, dan kunt u altijd terecht in het eerste hoofdstuk.

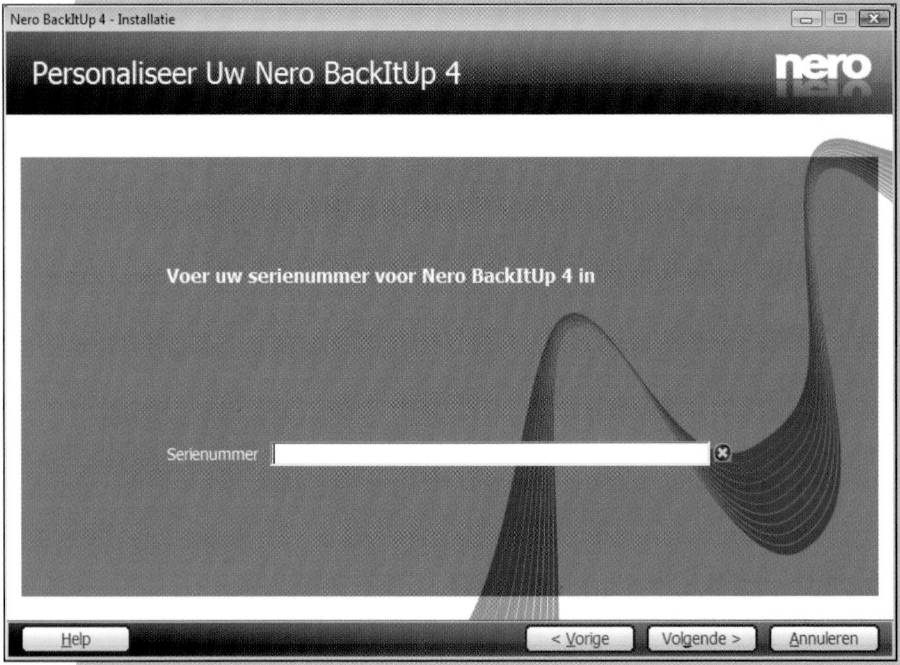

Nero BackItUp 4 - Installatie

Personaliseer Uw Nero BackItUp 4

nero

Voer uw serienummer voor Nero BackItUp 4 in

Serienummer

Help   < Vorige   Volgende >   Annuleren

3   Klik op de knop **Afsluiten** als BackItUp 4 meldt dat de installatie is gelukt.

4   Sluit ook de multi-installer van Nero.

Om BackItUp 4 te starten, kiest u **Alle programma's / Nero / Nero BackItUp 4 / Nero BackItUp 4**. U komt dan terecht in het venster **Home**.

Het venster Home

Dit is het hoofdvenster van BackItUp 4. U plant hier back-ups, maar u vindt hier ook een overzicht van alle back-uptaken die u hebt uitgevoerd en van alle opdrachten die nog uitgevoerd moeten worden. Het venster bestaat ruwweg uit drie delen:

- De opdrachtenlijst aan de linkerkant. Hiermee bepaalt u wat voor soort back-up-taak u wilt uitvoeren, bijvoorbeeld een stationsbackup.

- In het venster aan de linkerkant wordt bijgehouden wat de laatste back-up was die u maakte en hoe groot deze was.

- In het venster aan de rechterkant wordt bijgehouden wanneer de volgende back-up plaatsvindt en wat de status hiervan is.

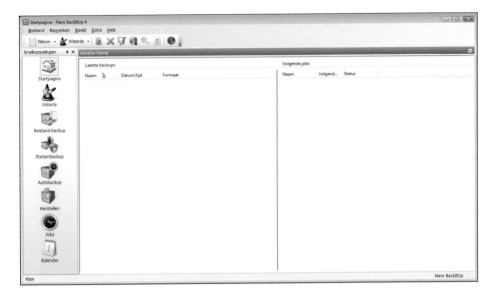

Met deze module kunt u allerlei soorten back-ups maken. De meest voorkomende is een back-up van de complete harde schijf. En de eenvoudigste manier om dit te doen is met een wizard.

De harde schijf back-uppen

In NeroBackItUp 4 kunt u onder meer de hele harde schijf back-uppen. Als er iets misgaat met uw pc en u deze moet formatteren, dan kunt u de volledige back-up in één keer terugzetten. Bij het maken van een back-up begeleidt een wizard u door het proces.

1. Kies in het startmenu voor **Alle programma's** / **Nero** / **Nero BackItUp 4** / **Nero BackItUp 4**.

2. Klik op **Wizards** aan de linkerkant van het venster **Home**.

3. Klik bovenaan in de lijst op **Nieuwe bestand-backup aanmaken** om de wizard **Backup** te openen.

4. Klik op **Volgende** in het eerste venster.

5. In het venster **Backup bron** kiest u of u een bestaande back-up wilt wijzigen of een nieuwe back-up wilt starten. Stip hiervoor het keuzerondje aan en klik op **Volgende**.

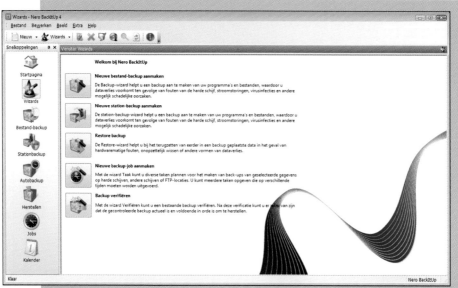

6 Vink in het venster **Selecteer bestanden en mappen** de selectievakjes aan voor alle bestanden en mappen waarvan u een back-up wilt maken en klik op **Volgende**. In dit voorbeeld wordt een back-up gemaakt van de snelkoppeling **Nero StartSmart** op het Bureaublad.

INFO

7 Klik vervolgens in de keuzelijst **Doel** van het venster
Instellingen backup op
uw cd- of dvd-brander en
kies **Volledige back-up** in
de keuzelijst **Backup-type**.

8 Geef de back-up een naam
en klik op **Volgende**.

TIP

Omdat u nu enkel aan
het oefenen bent met het
maken van back-ups, kunt
u ook overwegen om een
cd/dvd-rw te plaatsen. U
verprutst dan niet node-
loos een schijf.

INFO

Normaal gesproken geeft het programma de naam van de
gebruiker van de pc aan de back-up. U kunt deze handhaven
of een andere naam opgeven.

BackItUp analyseert nu de back-up en geeft bovendien aan welke instellingen zijn gemaakt, bijvoorbeeld voor viruscontrole of compressie.

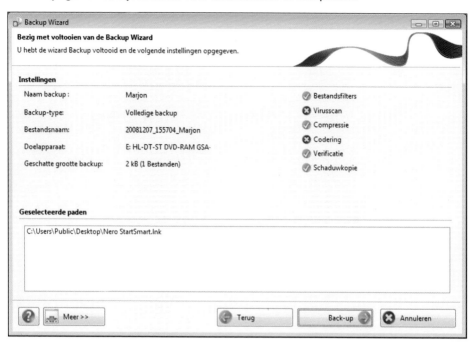

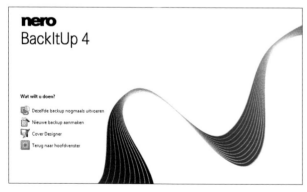

Plaats vervolgens een schijf in de brander en klik op **Back-up**. De back-up wordt gemaakt en de status wordt bijgehouden.

Als de back-up gelukt is, dan meldt Nero BackItUp dit. U kunt de melding sluiten en op **Volgende** klikken. In het venster **Wat wilt u doen?** kunt u vervolgens een nieuwe keuze maken.

TIP Als de back-up mislukt is, dan meldt BackItUp dit en wordt de schijf uitgeworpen.

Een back-up plannen

Het maken van een back-up kost veel tijd en vertraagt uw pc als u tegelijkertijd andere taken wilt uitvoeren. Om zo min mogelijk last te hebben van het maken van een back-up, kunt u deze daarom plannen. Zo kunt u deze 's nachts laten uitvoeren, als u niet aan het werk bent. U gebruikt hiervoor de job-wizard.

1 Klik in het venster **Wizards** van Nero BackItUp op **Nieuwe backup-job aanmaken**.

2 Klik op **Volgende** in het eerste venster van de wizard **Jobs**.

3 Stip in het venster **Bron Job** een van de drie keuzerondjes aan en klik op **Volgende**. In dit voorbeeld werd gekozen voor **Selecteer bestanden en mappen**.

4 Kies in het venster **Selecteer bestanden en mappen** opnieuw welke bestanden of mappen u wilt back-uppen en klik op **Volgende**.

5 Selecteer vervolgens in de keuzelijst **Doel** van het venster **Instellingen backup** uw cd- of dvd-brander en kies **Volledige backup** in de keuzelijst **Backup-type**.

6 Geef de back-up een naam en klik op **Volgende**.

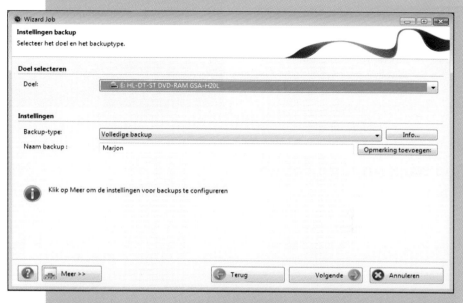

7 Bepaal de instellingen in het venster **Job-informatie**. Kies **Weke-lijks** in de keuzelijst **Type job** en klik op het pijltje achter de keu-zelijst **Start op**. Daar kiest u een startdatum in de kalender. U stelt ook een starttijd en vaste dagen in.

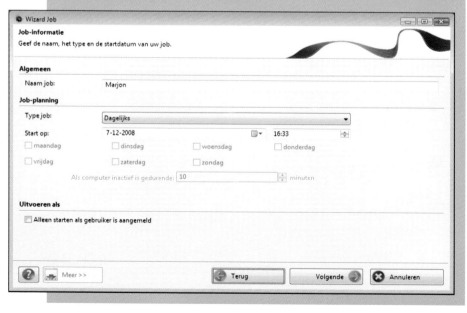

De back-uptaak wordt eerst aangemaakt en vervolgens krijgt u de
melding dat de job is toegevoegd.
Klik op **OK** als BackItUp meldt dat
het toevoegen van de job is voltooid.
U keert terug in het hoofdvenster en
kunt nu eventueel een nieuwe back-
up plannen. Klik in dit voorbeeld
echter op **Voltooien**.

Een back-up terugzetten

Als u onverhoopt toch een of meer bestanden kwijtraakt, dan gebruikt u BackIt-
Up voor het terugzetten. Ook dat gaat gemakkelijk: plaats de schijf in de bran-
der, selecteer het back-upbestand en vink het selectievakje voor het bestand aan.
Het volgende stappenplan toont u hoe u de instellingen hierbij maakt:

1 Klik op **Herstellen** aan de linkerkant van het venster.

2 Selecteer de back-up in het venster **Restore**. Op het tabblad **Be-
standsweergave** wordt de map weergegeven.

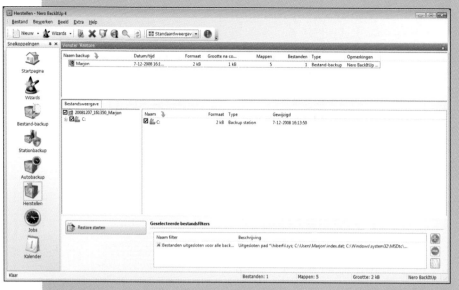

3 Klik op de knop **Restore starten** en stip in het venster **Herstelin-stellingen** het keuzerondje **Herstellen naar oorspronkelijk pad** aan. De back-up wordt dan teruggezet op de plek waar hij stond.

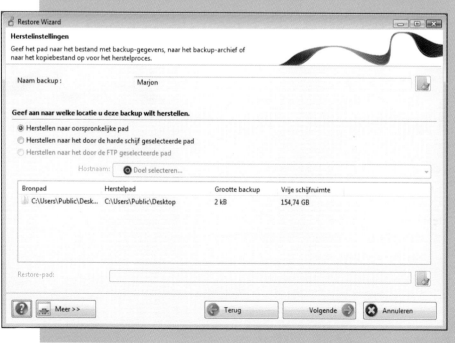

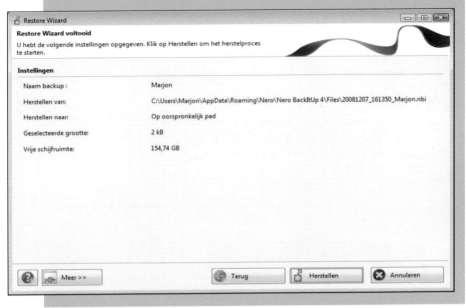

4 Klik op **Volgende** en kies in het venster **Restore Wizard voltooid** voor **Herstellen** om de back-up terug te zetten.

Het bestand wordt hersteld en de voortgang wordt bijgehouden.

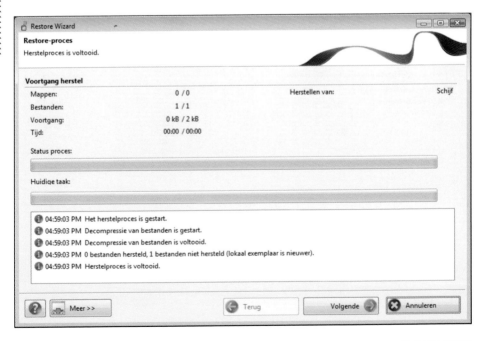

Besluit

In dit hoofdstuk kreeg u een uitgebreid overzicht van de mogelijkheden van Nero BackItUp. U begon met de installatie en maakte vervolgens een back-up van de volledige harde schijf. Ook stond u stil bij het plannen van back-ups. Als laatste zag u hoe u een back-up terugzet. Back-ups zijn immers noodzakelijk omdat er veel waardevolle informatie verloren gaat als uw pc er onverhoopt mee ophoudt.

In het volgende hoofdstuk maakt u een uitstapje naar Nero Live. U gebruikt dit programma om televisie te kijken op uw computer, maar vooral om televisie-programma's op te nemen op uw harde schijf. Uiteraard kunt u deze vervolgens branden in Nero 9.

Nero Live

Met Nero Live kunt u televisie kijken en programma's opnemen op uw computer. Hiervoor moet u wel een televisiekaart en een geluidskaart in uw pc geïnstalleerd hebben. In dit hoofdstuk begint u met het instellen van Nero Live en abonneert u zich op de Elektronische Programmagids. Vervolgens maakt u aanvullende instellingen, bijvoorbeeld voor de schermgrootte.

In het tweede deel van dit hoofdstuk maakt u nader kennis met Nero Live zelf. U doet aan kanaalbeheer en u gaat opnamen plannen, bekijken en verwijderen. Ook maakt u kort kennis met de gebruiksomgeving van het programma. Aan het einde van dit hoofdstuk hebt u genoeg kennis van Nero Live om zelf verder met het programma aan de slag te gaan.

Instellingen maken

Nero Live maakt gebruik van de televisiekaart in uw computer. Daarom moet de kaart eerst herkend worden. Hiervoor gebruikt u het onderdeel **Instellingen**. U kunt hier ook de beeldverhoudingen instellen. Om uw televisiekaart te laten herkennen volgt u deze stappen:

1 Ga naar Nero StartSmart en kies **Nero Live** om het programma te starten.

2 Ga naar de linkerbovenkant van het venster en blader door het menu tot u bij het onderdeel **Instellingen** komt. Klik op **Instellingen** om het venster **Instellingen** te openen.

INFO

Mogelijk krijgt u de melding **Patent activeren**. Dit is belangrijk als u een functie gebruikt die een patent van derden vereist. Het activeren van een patent is snel, gemakkelijk en gratis. Het is dus altijd verstandig om dit te doen.

3 Klik vervolgens op **Wizard starten** rechts onderin.

De wizard helpt u bij het instellen van de televisiekaart. Zo wordt de taal ingesteld, wordt uw kaart gevonden en zoekt de wizard voor u naar kanalen. Eerst komt u in een welkomstvenster. Klik op **Volgende** om de configuratie te starten.

1 Kies **Nederlands** in het venster **Regionale instellingen**, als deze optie nog niet gekozen is, en klik daarna op **Doorgaan**.

2 Selecteer de monitorinstelling en klik op **Doorgaan**. Voor de meeste moderne beeldschermen is dat de optie **16:9**.

3 Stel het veilige gebied in. Het beeld dat binnen het veilige gebied valt, is op elke schermsoort zichtbaar. Nero Live kiest standaard voor **Geen**. U kunt dit het beste handhaven.

4 Klik op **Doorgaan** en geef in het venster **Interfacegrootte** op hoe groot het lettertype en andere elementen moeten zijn.

5 Kies in het venster **Tunerscan** welke televisiekaart gebruikt moet worden. In dit geval is dat een kaart van het merk Pinnacle.

6 Klik weer op **Doorgaan**.

Nu uw televisiekaart is herkend, kunt u een aantal specifieke instellingen maken, zoals het bronsignaal, het gebruikte audio-apparaat en het land waarvoor u de instellingen maakt.

1. Kies het bronsignaal in het venster **Tunerscan**. Vaak zal dat kabel zijn, maar antenne kan natuurlijk ook.

2. Kies ook uw audioapparaat en het land waar u het signaal ontvangt. Klik op **Doorgaan**.

> **INFO**
>
> Het lijkt misschien overbodig om ook het land op te geven, maar als u de televisiekaart in een laptop plaatst en u neemt deze mee op vakantie, dan wordt deze instelling wel belangrijk. Dit geldt ook voor het bronsignaal.

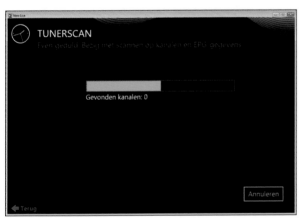

U hebt nu alle informatie ingevuld en Nero Live herkent nu voor u de verschillende beschikbare televisiekanalen.

Als dit eenmaal gebeurd is, dan maakt u de EPG-instellingen. EPG is de afkorting van Elektronische Programmagids. Hiermee kunt u enkele dagen (of soms zelfs weken) van te voren de programmering raadplegen. Dit is natuurlijk handig voor uw planning. Met EPG kunt u ook een bepaald genre of een specifiek programma zoeken of opnemen.

1 Klik op de knop **EPG nu bijwerken** in het venster **EPG-instellingen**. Na het bijwerken keert u terug in het venster **Tunerscan** en ziet u de televisiekaart.

2 Klik op de knop **Doorgaan**.

3 Blijf op **Doorgaan** klikken tot u opnieuw in het venster **EPG-instellingen** komt.

4 Stel in hoe vaak u wilt dat de programmagids wordt bijgewerkt.

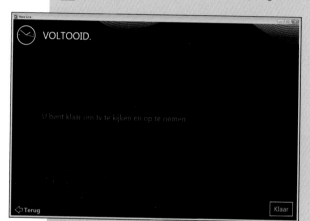

5 Als u opnieuw op **Doorgaan** klikt, dan meldt Nero Live dat u klaar bent met het maken van instellingen voor de televisiekaart.

6 Klik ten slotte op de knop **Klaar**.

U keert terug in het venster **Instellingen**. Zoals u ziet, is het venster nu veranderd en bestaat het uit drie verschillende onderdelen.

De Elektronische Programmagids

In de EPG houdt u onder meer uw voorkeuren bij. Zo kunt u uw favoriete kanalen instellen of opgeven in welke volgorde de kanalen moeten staan. In de volgende stappen maakt u de instellingen. Na elke stap klikt u op de knop **Terug** om terug te keren naar de Elektronische Programmagids. U begint met het kanaalbeheer.

Kanaalbeheer

Als u Nero Live kanalen voor u laat herkennen, dan krijgt u geen kanaalnamen maar nummers. Dat is natuurlijk niet handig, zeker niet als u beschikt over veel kanalen. Met het venster **Kanaalbeheer** kunt u alle kanalen ordenen, de gegeven cijfers verwijderen en de namen wijzigen. Volg hiervoor deze stappen:

1 Klik op **Kanaalbeheer**.

2 Klik met de rechtermuisknop op een van de kanalen en kies **Naam wijzigen** in het snelmenu. De achtergrond wijzigt en u ziet een klein toetsenbord.

3 Klik links onderin telkens op **Delete** om een cijfer te verwijderen.

4 Typ een naam voor het kanaal. Klik een keer met de muis voor de eerste letter, twee keer voor de tweede en drie keer voor de derde.

5 Geef nu alle kanalen een naam.

6 Vink het keuzerondje **Sorteren op naam** aan en bekijk het resultaat.

7 Klik op de knop **Terug** om terug te keren in het venster **Instellingen**.

U kunt vervolgens ook instellen welke kanalen u het meeste bekijkt. Dit doet u door op **Meest bekeken kanalen** te klikken. Omdat u de televisiekaart net hebt ingesteld is het venster nu leeg. U kunt hier later de selectie van meest bekeken kanalen wissen.

Om uw favoriete kanalen in te stellen klikt u op de knop **Favoriete kanalen** en rangschikt u de kanalen. Plaats de meest populaire bovenaan. Favoriete kanalen herkent u aan het pictogram met het sterretje.

Met de knop **EPG-instellingen** keert u tenslotte terug naar het venster **EPG-instellingen**.

De optie TV/DVR

Met deze optie bepaalt u de videoaspectverhouding en de opnameopties. Hiermee stelt u onder andere in hoe het televisiebeeld wordt weergegeven. Volg deze stappen om ervoor te zorgen dat het beeld het hele scherm vult:

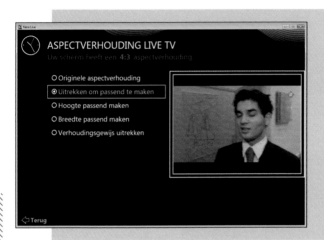

1 Ga naar het onderdeel **TV/DVR** en klik op de knop **Videoaspectverhouding**.

2 Vink in het venster **Aspectverhouding Live TV** het keuzerondje **Uitrekken om passend te maken** aan.

Uw beeld is nu schermvullend. Uiteraard gaat dit wel ten koste van de verhoudingen.

Opname-instellingen maken

Een van de leuke dingen aan Nero Live is dat u er ook mee kunt opnemen op uw harde schijf. Om dit te doen, moet u een aantal instellingen maken. U moet bijvoorbeeld een plek aanwijzen waar het programma de bestanden opslaat.

1 Ga naar het vak **Locatie opnamemap** en klik op **De maplocatie wijzigen**.

2 Klik in het venster **Map selecteren** op het pijltje voor **Lokale schijf (C:)**.

3 Selecteer een plek waar u de opgenomen bestanden plaatst.

TIP

Opgenomen beeld en geluid neemt veel ruimte in op een harde schijf. Het is daarom verstandig om een tweede harde schijf te gebruiken. Als u hierover niet beschikt, dan moet u ervoor zorgen dat er voldoende ruimte vrij is op de C-schijf.

Door het verplaatsen van de map zijn eventueel opgenomen bestanden niet langer toegankelijk op de oude locatie. Nero Live vraagt u om ook deze te verplaatsen zodra u een andere maplocatie kiest. Klik op **Opnamen verplaatsen** in het vak **De opnamemap wijzigen** zodat al uw bestanden toegankelijk blijven.

U kunt hier ook instellen hoeveel marge u gebruikt bij het opnemen. U kunt ervoor zorgen dat een opname precies op de juiste tijd begint en eindigt, maar u kunt ook iets minder exact zijn en er rekening mee houden dat een programma iets vroeger of later start. Volg hiervoor deze stappen:

1 Klik in het vak **Opname vroeg starten** en stel in hoeveel minuten van tevoren een opname moet starten.

2 Klik in het vak **Opname laat beëindigen** en stel in hoe laat de opname moet eindigen.

Ten slotte kunt u met **Bufferlengte timeshift** nog flexibeler zijn. Houd er bij deze opties wel rekening mee dat hierdoor heel wat extra ruimte op uw harde schijf ingenomen kan worden.

Audio

In het venster **Audio-uitvoer** stelt u in op welke manier geluid moet worden weergegeven. Daarbij hebt u twee mogelijkheden: u kunt de audio-instellingen van Windows gebruiken of zelf instellingen maken. Bij deze laatste mogelijkheid kunt u kiezen uit 5.1 surround of 7.1 surround. Met deze opties kunt u het geluid uit zes luidsprekers laten komen, wat het bioscoopeffect benadert.

U kunt ook kiezen voor S/PDIF. Dit is de afkorting van Sony/Philips Digital Interface, een gangbare manier om kwalitatief goed geluid te realiseren via de geluidskaart van de computer. Verder kunt u de bedieningselementen voor het dynamisch bereik instellen en het compressieniveau.

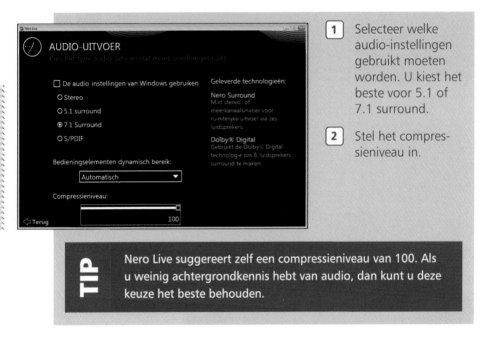

1 Selecteer welke audio-instellingen gebruikt moeten worden. U kiest het beste voor 5.1 of 7.1 surround.

2 Stel het compressieniveau in.

> **TIP** Nero Live suggereert zelf een compressieniveau van 100. Als u weinig achtergrondkennis hebt van audio, dan kunt u deze keuze het beste behouden.

Werken met Nero Live

Nadat u alle instellingen hebt gemaakt, kunt u Nero Live bedienen en opnamen plannen. Volg dit stappenplan om het gewenste resultaat te bereiken:

1 Klik met de rechtermuisknop op een kanaal dat u wilt opnemen en kies **Handmatig opnemen** in het keuzemenu.

2. Vul in het venster **Handmatig opnemen** een start-datum en -tijdstip in.

3. Stel de duur van de opname in.

4. Klik ten slotte op de knop **Opname plannen**.

U kunt een overzicht krijgen van uw geplande en uw opgenomen programma's:

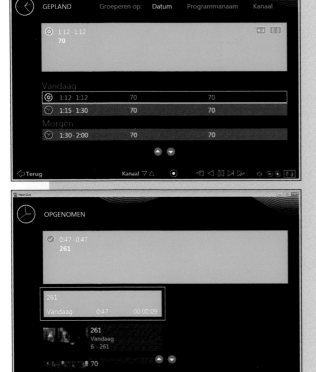

1. Beweeg uw muis tot vlak naast de klok links bovenin om een lijst met mogelijkheden zichtbaar te maken.

2. Dubbelklik op **Gepland** om een overzicht te zien van alle geplande opnamen.

3. Klik met de muis op **Gepland** om de optie **Opgenomen** zichtbaar te maken.

4. Dubbelklik op **Opgenomen** om alle opgenomen onderdelen zichtbaar te maken.

Uiteraard kunt u de opgenomen programma's afspelen en verwijderen:

1 Klik met de rechtermuisknop op de opname en kies **Opname afspelen** in het snelmenu.

2 Klik met de rechtermuisknop op de opname en kies **Opname verwijderen** in het snelmenu.

De rest van de bediening van Nero Live wijst zichzelf uit. Met de knoppen bovenin navigeert u door de kanalen. Met de knoppen onderin navigeert u door de opgenomen programma's en gaat u onder meer versneld vooruit of achteruit. U kunt nu zelf experimenteren om de overige mogelijkheden van Nero Live te ontdekken.

Besluit

In dit hoofdstuk maakte u kennis met Nero Live. U las hoe u het programma instelde en u zorgde er ook voor dat uw televisiekaart herkend werd. Hiernaast maakte u kennis met de Elektronische Programmagids. U leerde opnamen plannen en u maakte kennis met het kanaalbeheer.

In het laatste hoofdstuk van deze Snelgids gaat u in op allerlei soorten gereedschappen waarover Nero 9 beschikt.

De Toolbox

9

Nero 9 beschikt over een Toolbox. Hierin vindt u over het algemeen diagnostische gereedschappen. U gebruikt deze om vast te stellen of uw brandproces kans op slagen heeft. U kunt na een mislukte poging ook nagaan waarom het branden niet succesvol was. In sommige gevallen kunt u met de Toolbox ook de snelheid van uw station instellen.

Belangrijke gereedschappen zijn Nero ControlCenter (NCC) en Nero RescueAgent. Met het ControlCenter voegt u nieuwe onderdelen toe aan de suite en controleert u of er updates zijn. Met RescueAgent spoort u beschadigde of verwijderde onderdelen van een schijf op. Soms kunt u deze herstellen. De verschillende gereedschappen van de Toolbox staan centraal in dit hoofdstuk. Ze worden in volgorde van rangschikking behandeld.

Nero ControlCenter

Bovenaan in de Toolbox vindt u het ControlCenter. Hiermee kunt u twee belangrijke dingen doen:

- Controleren of er per geïnstalleerd onderdeel updates beschikbaar zijn.
- Nieuwe onderdelen installeren. In deze versie van Nero 9 geldt dat nog niet voor InCD.

De werkwijze is altijd hetzelfde.

1. Kies **Nero StartSmart** / **Toolbox** / **Control Center**.

2. Vink het selectievakje aan voor het programma waarvoor u een update wilt ophalen, bijvoorbeeld Nero Express.

3. Klik vervolgens op **Controleren op updates**.

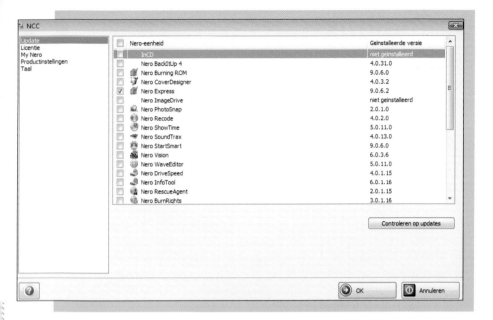

Als u geen update wilt ophalen, maar een programma wilt installeren vanuit het ControlCentrer, dan klikt u op **OK**. Vaak vraagt Nero u om de oorspronkelijke dvd te plaatsen.

Nero BurnRights

Nero BurnRights is het tweede gereedschap in de lijst. Als u op een stand-alone computer werkt, dan is dit venster niet zo belangrijk. Dat wordt het wel als u gebruikmaakt van een netwerk. In dat geval gebruikt u dit venster om groepen te creëren waarbij sommige brandrechten hebben en andere niet.

Nu kunt u enkel kiezen tussen **Iedereen** en **Niemand**. Ook BurnRights start u via de Toolbox.

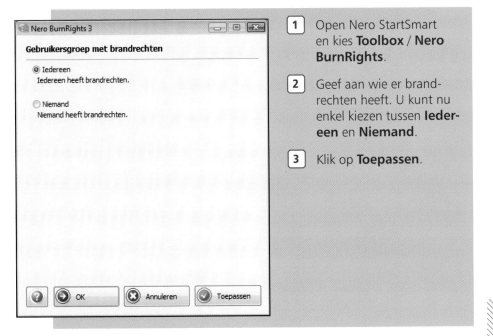

1. Open Nero StartSmart en kies **Toolbox / Nero BurnRights**.

2. Geef aan wie er brand-rechten heeft. U kunt nu enkel kiezen tussen **Iedereen** en **Niemand**.

3. Klik op **Toepassen**.

Nero RescueAgent

Nero RescueAgent is een belangrijk programma want hiermee kunt u corrupte bestanden van verschillende soorten media (cd's, dvd's, USB-sticks, enzovoort) weer leesbaar en bruikbaar maken.

Het proces verloopt in een paar stappen. U begint met het selecteren van het medium dat de corrupte bestanden bevat. Daarna kiest u een plek waar de ge-repareerde bestanden moeten worden neergezet. Uiteindelijk start u het herstel-proces. De RescueAgent kan snel en uitgebreid scannen:

- Bij snel scannen wordt enkel FAT 32 gescand. Eenvoudig gezegd komt dit erop neer dat enkel de bestandssystemen worden gescand. Dit gaat wel snel, maar is niet erg nauwkeurig

- Bij uitgebreid scannen wordt het hele opslagmedium doorzocht. Uiteraard duurt de uitgebreide scan langer.

1. Kies **StartSmart / Toolbox / RescueAgent**.

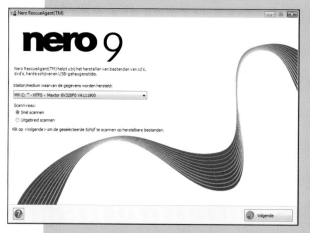

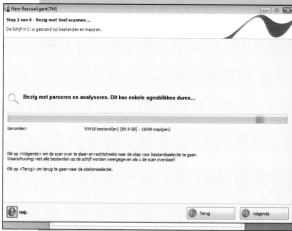

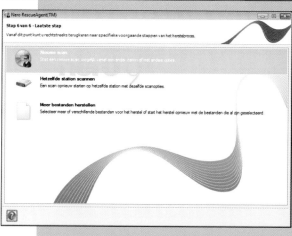

2 Selecteer een station dat u wilt herstellen, bijvoorbeeld uw harde schijf of een USB-stick. Als u een dergelijk medium wilt herstellen, dan moet u het uiteraard eerst plaatsen.

3 Kies in dit geval voor **Snel scannen**, want het gaat er nu enkel om dat u een indruk krijgt.

4 Klik op de knop **Volgende**. RescueAgent zoekt naar bestanden die kunnen worden hersteld en u krijgt een lijst te zien.

5 Geef een doelmap op waar de gevonden bestanden kunnen worden geplaatst.

6 Klik op de knop **Selecteren** en kies in het venster **Specifieke bestanden selecteren** welk soort bestanden u wilt herstellen, bijvoorbeeld alle problemen.

7 Klik daarna op de knop **Selecteren** onderin.

De bestanden worden nu hersteld en in een logbestand opgeslagen. In het laatste venster kunt u de scan herhalen en meer bestanden herstellen. RescueAgent kunt u altijd gebruiken als u foutboodschappen krijgt op een schijf of op een medium.

Nero DiscSpeed

Nero DiscSpeed is het eerste programma van een set analytische programma's die u inzicht geven in de manier waarop uw systeem functioneert. DiscSpeed is een benchmarkprogramma. Dit soort programma's is ontworpen om van tevoren te testen hoe een proces verloopt. DiscSpeed geeft u inzicht in de manier waarop uw cd/dvd-romstation en uw cd/dvd-brander omgaan met verschillende soorten schijven. Dat is vooral belangrijk bij het kopiëren van audio-cd's, want dan werken de twee heel nauw samen.

Bij dergelijke kopieeracties leest en schrijft het brandstation van het cd/dvd-romstation. Tijdens het kopiëren van een cd of bij het opslaan van cd-tracks op de harde schijf, scheidt de brander de digitale audio van de analoge audio. Dit heet ook wel digitale audio-extractie, DAE. Lang niet alle cd/dvd-romstations kunnen hier vlot mee overweg. Met Nero DiscSpeed test u hoe goed uw station hiermee omgaat. U kunt ook andere zaken testen, zoals de snelheid van de extractie of de mate waarin de CPU – de interne processor van de pc – wordt belast. De test verloopt eenvoudig:

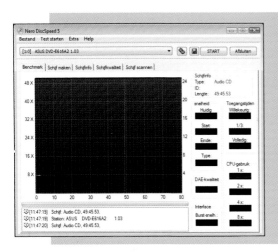

1 Plaats een audio-cd in het cd/dvd-romstation. Klik op **Annuleren** als Windows u vraagt wat u met de cd wilt doen.

2 Start Nero StartSmart, open de Toolbox en klik op **DiscSpeed**.

3 Selecteer in het venster **Nero DiscSpeed 5** het cd/dvd-romstation.

Er worden nu verschillende zaken getest, bijvoorbeeld de spinup-tijd van het station. Dit is de tijd die nodig is om de motor van het cd/dvd-romstation op volle kracht te laten draaien. Ook wordt de overdrachtsnelheid getest.

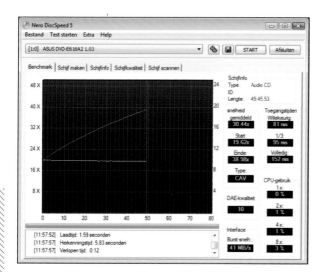

Bekijk de testgegevens en let vooral op het vak **DAE-kwaliteit**. Kijk naar de gegevens in het vak **Snelheid**. Zoals u ziet, start het station op een lagere snelheid dan het eindigt. Dit komt omdat het van het type CAV (Constant Angular Velocity) is. Bij deze techniek wordt de snelheid van de brander opgevoerd of verminderd naarmate het station de rand of juist het midden van de schijf nadert. Zo ontstaat een constante gemiddelde snelheid.

Klik op **Afsluiten** om het programma te verlaten. Het is belangrijk om deze test te herhalen als u een nieuw station in uw computer plaatst, bijvoorbeeld een Blu-raybrander. Een verwante testmogelijkheid is Nero Drivespeed.

Nero Drivespeed

Met Nero DriveSpeed stelt u de spindown-snelheid en de leessnelheid van het station in. Bij een hoge leessnelheid kan vooral bij het kopiëren van een schijf lawaai ontstaan. Als u dit merkt, dan kunt u een lagere leessnelheid instellen tot u een compromis bereikt tussen de snelheid van het station en de hoeveelheid lawaai die het station produceert. Hoewel u in principe elke snelheid kunt kiezen, maakt u enkel gebruik van die snelheden die DriveSpeed herkent. In het volgende stappenplan gebruikt u DriveSpeed om de leessnelheden van uw cd/dvd-romstation in te stellen:

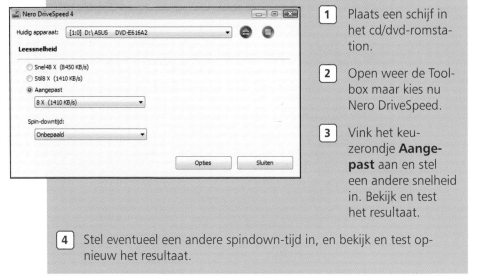

1. Plaats een schijf in het cd/dvd-romstation.

2. Open weer de Toolbox maar kies nu Nero DriveSpeed.

3. Vink het keuzerondje **Aangepast** aan en stel een andere snelheid in. Bekijk en test het resultaat.

4. Stel eventueel een andere spindown-tijd in, en bekijk en test opnieuw het resultaat.

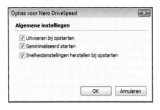

Als u ook wilt instellen hoe Nero zich gedraagt als u de computer opnieuw start, dan klikt u op de knop **Opties**.

Een ander diagnostisch programma is Nero Infotool.

Nero InfoTool

Met Nero InfoTool verzamelt u gegevens over uw complete systeem. Hier vindt u bijvoorbeeld welke software aanwezig is, welke firmware uw brander heeft, welke soorten cd's of dvd's uw brander ondersteunt, enzovoort. Nero InfoTool gebruikt u onder meer als u pas begonnen bent met branden, als u nieuwe hardware hebt ingebouwd of als u een nieuwe pc hebt aangeschaft. Ook InfoTool start u vanuit Toolbox.

1. Open Nero StartSmart, klik daarna op **Toolbox** en vervolgens op **Nero InfoTool**.

2. Plaats een schijf in het cd/dvd-romstation als u de snelheid hiervan wilt laten vaststellen.

3. Klik daarna op **OK**.

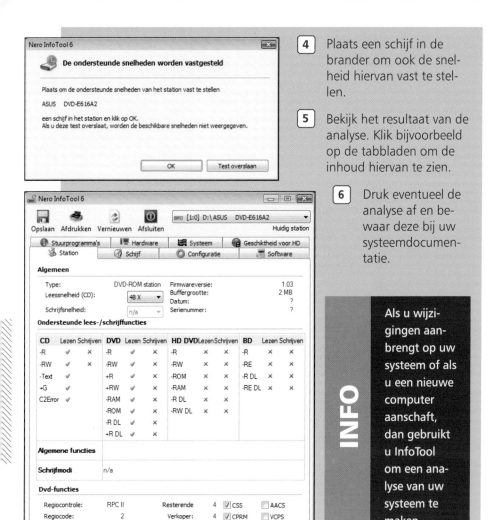

4 Plaats een schijf in de brander om ook de snelheid hiervan vast te stellen.

5 Bekijk het resultaat van de analyse. Klik bijvoorbeeld op de tabbladen om de inhoud hiervan te zien.

6 Druk eventueel de analyse af en bewaar deze bij uw systeemdocumentatie.

Een schijf analyseren en wissen

Vooral als u informatie wilt branden op een cd/dvd-rw is het belangrijk dat de schijf leeg is. Daarom is het verstandig om deze te wissen. Hiervoor beschikt de Toolbox over het gereedschap **Schijf wissen**. U hebt de keuze tussen snel wissen en volledig wissen. Bij snel wissen blijven data op de schijf aanwezig. Bij uitgebreid wissen wordt de hele schijf gewist. Beide methoden hebben voor- en nadelen:

- Bij snel wissen worden data niet fysiek gewist, maar enkel de gegevens over de data. De schijf kan onder bepaalde voorwaarden zelfs nog worden uitgelezen. Als de schijf vertrouwelijke gegevens bevat, dan kan dit gevaarlijk zijn. Bovendien kan uw brandproces in gevaar komen. Het grote voordeel is natuurlijk dat het wissen snel gaat en u dus gauw verder kunt.

- Bij uitgebreid wissen worden alle fysieke data wel gewist. Als u tijd hebt, dan is dit de beste optie.

Het hangt volledig van uzelf af wat u kiest, bijvoorbeeld van de hoeveelheid tijd die u nu heeft of van de informatie die op schijf staat. In de volgende stappen wist u een schijf:

1 Plaats een cd/dvd-rw in de brander.

2 Open de Toolbox en kies **Schijf wissen**.

3 Kies op welke manier u de schijf wilt wissen.

4 Klik ten slotte op de knop **Wissen**.

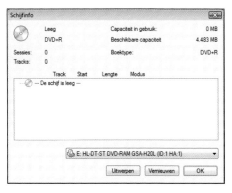

Voor u een schijf wist, maar natuurlijk ook op elk ander moment, kunt u een schijf analyseren. Eigenlijk gebeurt hierbij precies hetzelfde als wanneer u in Nero Burning ROM klikt op **Schijfinfo**. Analyseren is handig om na te gaan of een schijf leeg is of niet, maar ook om te weten hoeveel beschikbare capaciteit een schijf heeft of om na te gaan over welk schijftype het gaat. Schijfanalyse start u eveneens via de Toolbox, maar nu klikt u helemaal onderaan op **Schijf analyseren**.

Na de analyse kunt u op de knop **Uitwerpen** klikken of het venster sluiten met het kruisje rechts bovenin.

Nero DiscCopy

In de 32-bitversie van Windows Vista kunt u gebruikmaken van het gadget **Disc-Copy**. Het is een pictogram dat u ziet in de zijbalk van Windows Vista. Hiermee kopieert u een schijf of maakt u een afbeeldingsbestand zonder Nero te openen. Om het gadget zichtbaar te maken, doet u het volgende:

1 Klik op het plus-teken van de knop **Gadgets** bovenaan de zijbalk van Vista.

2 Sleep het gadget **DiscCopy** uit het venster met gadgets en plaats het in de zijbalk of op een andere plek op het Bureaublad.

De volgende keer dat u een schijf wilt kopiëren, klikt u op het gadget. Zo hoeft u Nero zelf niet op te starten.

Besluit

In dit laatste hoofdstuk maakte u kennis met allerlei soorten analytische gereed-schappen. U kunt ze gebruiken als er onverhoopt iets misgaat met uw brandpro-ces, of juist vooraf om fouten te voorkomen. Zo krijgt u met InfoTool gegevens over uw systeem, terwijl DiscSpeed inzicht biedt in de snelheid van uw schijven. Een bijzonder programma is RescueAgent. Hierbij kunt u beschadigde of verwij-derde sectoren op uw (harde) schijf opsporen en eventueel repareren.

Hiermee bent u aan het einde van deze Snelgids. We hopen dat we u genoeg houvast hebben geboden om met Nero 9 aan de slag te gaan, want deze suite biedt uiteraard nog veel meer mogelijkheden. U hebt nu echter genoeg basisken-nis om deze gaandeweg te ontdekken.

Index

Neem een kijkje op **www.easycomputing.com** en kom alles te weten over uw boek en de andere producten van Easy Computing!

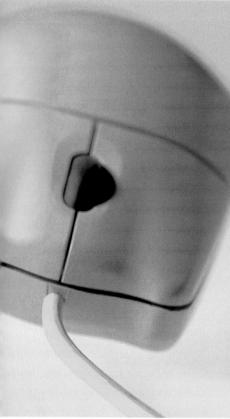

Als u dit boek niet van achteren naar voren hebt gelezen, dan hebt u nu het hele boek uit en kunt u voor uzelf nagaan of het aan uw verwachtingen heeft voldaan. Laat het ons weten en stuur uw suggesties naar **boeken@easycomputing.com!**

Misschien hebt u een specifieke vraag over uw boek? Neem dan een kijkje op de supportpagina van onze website. Daar krijgt u een overzicht van de **veelgestelde vragen** met bijhorend antwoord per titel. Bovendien kunt u vaak de voorbeelden uit het boek, listings of andere extra informatie via **downloads** op uw pc binnenhalen. Sneller kan niet!

Naast onze computer- en managementboeken krijgt u ook een overzicht van onze **software** en ons **papier**. In totaal vindt u meer dan 250 titels, 15 verschillende thema's en 10 boekenreeksen. Jong of oud beginner of gevorderde, er is voor ieder wat wils!

Om steeds op de hoogte te blijven van de nieuwigheden en speciale acties kunt u zich inschrijven voor onze wekelijkse **nieuwsbrief.** Altijd up-to-date!

Al onze boeken, software en papier zijn te koop bij de betere boekhandel en computershop. Via onze site vindt u snel een **verkooppunt in uw buurt** van onze producten.